崇文館

家庭典藏

崇文国学经典普及文库

吕氏春秋

（战国）吕不韦◎编纂
刘亦工◎校译

长江出版传媒
崇文书局

吕氏春秋

图书在版编目（CIP）数据

吕氏春秋／（战国）吕不韦编纂；刘亦工校译．
—武汉：崇文书局，2017.1
（崇文国学经典普及文库）
ISBN 978-7-5403-4223-4
Ⅰ．①吕…
Ⅱ．①吕… ②刘…
Ⅲ．①杂家 ②《吕氏春秋》－译文
Ⅳ．①B229.24
中国版本图书馆CIP数据核字（2016）第251682号

出 品 人　潘启胜

统　　筹　陈中琼
责任编辑　王重阳

出版发行　长江出版传媒｜崇文书局
地　　址　武汉市雄楚大街268号C座11层
电　　话　(027)87293001　邮政编码　430070

印　　刷　湖北恒泰印务有限公司
开　　本　889×1194　　1/32
印　　张　5.75
字　　数　127千字
版　　次　2017年1月第1版
印　　次　2017年1月第1次印刷
定　　价　19.80元
（如发现印装质量问题，影响阅读，请与承印厂调换）

总序

现代意义的“国学”概念，是在19世纪西学东渐的背景下，为了保存和弘扬中国优秀传统文化而提出来的。1935年，王缁尘在世界书局出版了《国学讲话》一书，第3页有这样一段说明：“庚子义和团一役以后，西洋势力益膨胀于中国，士人之研究西学者日益众，翻译西书者亦日益多，而哲学、伦理、政治诸说，皆异于旧有之学术。于是概称此种书籍曰‘新学’，而称固有之学术曰‘旧学’矣。另一方面，不屑以旧学之名称我固有之学术，于是有发行杂志，名之曰《国粹学报》，以与西来之学术相抗。‘国粹’之名随之而起。继则有识之士，以为中国固有之学术，未必尽为精粹也，于是将‘保存国粹’之称，改为‘整理国故’，研究此项学术者称为‘国故学’……”从“旧学”到“国故学”，再到“国学”，名称的改变意味着褒贬的不同，反映出身处内忧外患之中的近代诸多有识之士对中国优秀传统文化失落的忧思和希望民族振兴的宏大志愿。

从学术的角度看，国学的文献载体是经、史、子、集。崇文书局的这一套国学经典普及文库，就是从传统的经、史、子、集中精选出来的。属于经部的，如《诗经》《论语》《孟子》《周易》《大学》《中庸》《左传》；属于史部的，如《战国策》《史记》《三国志》《贞观政要》《资治通鉴》；属于子部的，如《道德经》《庄子》《孙子兵法》《鬼谷子》《世说新语》《颜氏家训》《容斋随笔》《本草纲目》《阅微草堂笔记》；属于集部的，如《楚辞》《唐诗三百首》《豪放词》《婉约词》《宋词三百首》《千家诗》《元曲三百首》《随园诗话》。这套书内容丰富，而分量适中。一个希望对中国优秀传统文化有所了解的人，读了这些书，一般说来，犯常识性错误的可能性就很小了。

崇文书局之所以出版这套国学经典普及文库，不只是为了普及国学常识，更重要的目的是，希望有助于国民素质的提高。在国学教育中，有一种倾向需要警惕，即把中国优秀的传统文化"博物馆化"。"博物馆化"是 20 世纪中叶美国学者列文森在《儒教中国及其现代命运》中提出的一个术语。列文森认为，中国传统文化在很多方面已经被博物馆化了。虽然中国传统的经典依然有人阅读，但这已不属于他们了。"不属于他们"的意思是说，这些东西没有生命力，在社会上没有起到提升我们生活品格的作用。很多人阅读古代经典，就像参观埃及文物一样。考古发掘出来的珍贵文物，和我们的生命没有多大的关系，和我们的生活没有多大关系，这就叫作博物馆化。"博物馆化"的国学经典是没有现实生命力的。要让国学经典恢复生命力，有效的方法是使之成为生活的一部分。崇文书局之所以强调普及，深意在此，期待读者在阅读这些经典时，努力用经典来指导自己的内外生活，努力做一个有高尚的人格境界的人。

国学经典的普及，既是当下国民教育的需要，也是中华民族健康发展的需要。章太炎曾指出，了解本民族文化的过程就是一个接受爱国主义教育的过程："仆以为民族主义如稼穑然，要以史籍所载人物制度、地理风俗之类为之灌溉，则蔚然以兴矣。不然，徒知主义之可贵，而不知民族之可爱，吾恐其渐就萎黄也。"(《答铁铮》)优秀的传统文化中，那些与维护民族的生存、发展和社会进步密切相关的思想、感情，构成了一个民族的核心价值观。我们经常表彰"中国的脊梁"，一个毋庸置疑的事实是，近代以前，"中国的脊梁"都是在传统的国学经典的熏陶下成长起来的。所以，读崇文书局的这一套国学经典普及读本，虽然不必正襟危坐，也不必总是花大块的时间，更不必像备考那样一字一句锱铢必较，但保持一种敬重的心态是完全必要的。

期待读者诸君喜欢这套书，期待读者诸君与这套书成为形影相随的朋友。

陈文新

（教育部长江学者特聘教授，武汉大学杰出教授）

前言

《吕氏春秋》亦称《吕览》，为当时担任秦相的吕不韦组织其门客合作撰写而成，属于先秦诸子百家的杂家类。

吕不韦（？——前235年），战国末卫国濮阳人。本为大商人，家财巨万，秦庄襄王时为相国，后又辅佐秦始皇，食邑十万户。门下有宾客三千人，家僮万人，权势十分显赫。《吕氏春秋》书成之后，特悬榜于咸阳城门之上，声称有能增减一字者赏千金，但无人敢应。

《吕氏春秋》为集体编纂，取材博杂，广采各家之言，书中儒、道、法、

名、墨、阴阳等各家学说均有体现，保存了大量失传的先秦旧说与上古史料，价值极为珍贵。其叙事简洁，说理流畅，文字悠长，许多单篇都是优美的散文，故历代均有各种版本流传，至今不衰。

此次出版，系从《吕氏春秋》中选取四十余篇具有代表性的文章，并且配以白话译文，使具有中等文化以上的读者没有阅读理解的障碍。不当之处，敬祈指正。

contents

目录

本　生

【原文】

始生之者，天也；养成之者，人也。能养天之所生而勿撄之谓天子。天子之动也，以全天为故者也。此官之所自立也。立官者，以全生也。今世之惑主，多官而反以害生，则失所为立之矣。譬之若修兵者，以备寇也。今修兵而反以自攻，则亦失所为修之矣。

夫水之性清，土者扫之，故不得清。人之性寿，物者扫之，故不得寿。物也者，所以养性也，非，所以性养也。今世之人，惑者多以性养物，则不知轻重也。不知轻重，则重者为轻，轻者为重矣。若此，则每动无不败。以此为君，悖；以此为臣，乱；以此为子，狂。三者国有一焉，无幸必亡。

今有声于此，耳听之必慊，已听之则使人聋，必弗听。有色于此，目视之必慊，已视之则使人盲，必弗视。有味于此，口食之必慊，已食之则使人瘖，必弗食。是故圣人之于声色滋味也，利于性则取之，害于性则舍之，此全性之道也。世之贵富者，其于声色滋味也，多惑者。日夜求，幸而得之则遁焉。遁焉，性恶得不伤？

万人操弓，共射一招，招无不中。万物章章，以害一生，生无不伤；以便一生，生无不长。故圣人之制万物也，以全其天也。天全，则神和矣，目明矣，耳聪矣，鼻臭矣，口敏矣，三百六十节皆通利矣。若此人者，不言而信，不谋而当，不虑而得；精通乎天地，神覆乎宇宙；其于物无不受也，无不裹也，若天地然；上为天子而不骄，下为匹夫而不惽。此之谓全德之人。

贵富而不知道，适足以为患，不如贫贱。贫贱之致物也难，虽欲过之，奚由？出则以车，入则以辇，务以自佚，命之曰招蹶之机；肥肉厚酒，务以自强，命之曰烂肠之食；靡曼皓齿，郑卫之音，务以自乐，命之曰伐性之斧。三患者，贵富之所致也。故古之人有不肯贵富者矣，由重生故也，非夸以名也，为其实也。则此论之不可不察也。

【译文】

赋予万物以初始生命的是天；养育万物使之成长的是人。能够保养自然界的生物成长而不加损害的人是天子。天子的所作所为，以保全天性为原则，这是设立官职的根本原因。设立官职就是为了保全万物的生命。当今世上的昏君，滥设官职，反而妨害了万物的生长，这就违背了设立官职的本意。比如训练军队，是为了防备盗寇。现在训练军队却用来自相攻击，于是就违背训练军队的本意了。

水的本性是清澈的，泥土搅混其中，因而不能保持清澈。人的本性是长寿的，外物干扰了他，因而不能长寿。外物是用来修养生命的，并不是以人的生命去追求的。如今的人们大多以生命去追求外物，就是不知轻重。不知轻重，就把重要的看做不重要，把不重要的看做重要了。如果这样，每次行动就没有不失败的。将这样的人作为君主，导致昏悖；这样的人作为臣子，导致叛乱；将这样的人作为子孙，导致狂妄。国家有了这三种人中的一种，就会灭亡，无可幸免。

假设有声音在面前，听了一定要令人愉快，如果听了却使人耳聋，就一定不要去听。有色彩在面前，见了一定要令人愉快，如果看了却使人眼瞎，就一定不要去看。有美味在面前，吃了一定要令人愉快，如果吃了却使人口哑，就一定不要去吃。所以圣人对于声色美味，有利于人的生命就接纳它，有害于人的生命就舍弃它，这是保全生命的自然法则。世上富贵之人，他们大多沉溺于声色美味之中，日夜追求，一旦侥幸得到，便恣意放纵。放纵于声色美味，生命怎能不受到伤害呢？

万人拿着弓同射一个靶子，靶子没有不被射中的。万物纷繁复杂，一起来伤害一个人的生命，生命没有不被伤害的；一起来养护一个人的生命，生命没有不长寿的。所以圣人制御万物是为了保全人的生命与天性。天性保全了，就会神志和谐，眼神明亮，听觉聪颖，嗅觉灵敏，口齿伶俐，全身三百六十道关节都会通畅灵活了。像这种人，不用说话也能取信于人，不用谋算也会把事办得妥当，不用思虑也有所获。他们的精神可以通贯天地，覆盖宇宙；这种人对于外物，没有不可以接纳的，没有不可以包容的，就像天地那样；即使高贵为天子，也不骄横，低贱为平民也不忧闷，这就叫做有完美德性的人。

身居富贵却不懂得持盈知足的道理，恰好只能带来祸患，还不如贫贱之人。贫贱的人谋取衣食困难，即使欲求过度，但从哪里得到呢？出入不是坐车就是乘辇，一味地希图安逸，这是招致颠顿的开端。一味地用肥肉醇酒滋补自己，这是烂肠的食物。一味地沉迷于肌肤细腻、明眸皓齿的美色和郑国、卫国的靡靡之音，这是伤害生命的刀斧。这三大祸害是富贵所招致的。所以古代有的人不愿升官发财，是因为看重生命的缘故，并非向世人夸耀不贪图富贵的名声，而是为了保全自身生命的实际利益。既然这样，那么富贵祸福这些道理，是不可不详细了解的。

贵　公

【原文】

昔先圣王之治天下也，必先公。公则天下平矣。平得于公。尝试观于上志，有得天下者众矣，其得之以公，其失之必以偏。凡主之立也，生于公。故《鸿范》曰："无偏无党，王道荡荡。无偏无颇，遵王之义。无或作好，遵王之道。无或作恶，遵王之路。"

天下，非一人之天下也，天下之天下也。阴阳之和，不长一类；甘露时雨，不私一物；万民之主，不阿一人。伯禽将行，请所以治鲁，周公曰："利而勿利也。"荆人有遗弓者，而不肯索，曰："荆人遗之，荆人得之，又何索焉？"孔子闻之曰："去其'荆'而可矣。"老聃闻之曰："去其'人'而可矣。"故老聃则至公矣。天地大矣，生而弗子，成而弗有，万物皆被其泽，得其利，而莫知其所由始，此三皇五帝之德也。

管仲有病，桓公往问之，曰："仲父之病矣。渍甚，国人弗讳，寡人将谁属国？"管仲对曰："昔者臣尽力竭智，犹未足以知之也。今病在于朝夕之中，臣奚能言？"桓公曰："此大事也，愿仲父之教

寡人也。”管仲敬诺，曰：“公谁欲相？”公曰：“鲍叔牙可乎？”管仲对曰：“不可。夷吾善鲍叔牙。鲍叔牙之为人也，清廉洁直；视不己若者，不比于人；一闻人之过，终身不忘。”“勿已，则隰朋其可乎？”“隰朋之为人也，上志而下求，丑不若黄帝，而哀不己若者。其于国也，有不闻也；其于物也，有不知也；其于人也，有不见也。勿已乎，则隰朋可也。”夫相，大官也。处大官者，不欲小察，不欲小智，故曰：大匠不斫，大庖不豆，大勇不斗，大兵不寇。桓公行公去私恶，用管子而为五霸长；行私阿所爱，用竖刁而虫出于户。

人之少也愚，其长也智。故智而用私，不若愚而用公。日醉而饰服，私利而立公，贪戾而求王，舜弗能为。

【译文】

古代的圣王治理天下，必定把大公无私放在第一位，只要大公无私，天下就太平了。太平是由大公无私得来的。试看上古记载，得天下的人可多了，他们得天下必是因为公正，他们失天下必是因为偏私。大凡设置君主的本义，出于人心盼望公正。所以《尚书·洪范》篇说："没有偏私，不结朋党，君王所行的正道宽广；没有偏颇，一切遵循君王的旨意。没有任何私人爱好，完全遵循君王的法度；不为非作歹，遵循君王指引的道路前进。"

天下不是一个人的天下，而是天下人的天下。阴阳协调，孕育万物，而不是仅仅使某一类生长；适时的雨露，不私自滋润某一作物；万民的君主，不偏私某一个人。周公的儿子伯禽封为鲁国国君，临行赴任时，请教治理鲁国的方略，周公说："行利民之政而不存利己之心。"楚国有个人遗失了弓箭，却不肯去寻找，他说："楚国人遗失了弓箭，必是楚国人得到它，又何必找它呢？"孔子听到这话，说："去掉'荆楚'这一国别就好了。"老聃听到孔子的话，说："去掉'人类'这一限制就好了。"所以老聃乃是最大公无私的。天地够伟大了，生育了万物，而不把它们作为自己的子女，使万物成长，而不把它们据为己有。万物都蒙受天地的恩泽，享受天地的利益，却不知道这些是从哪里来的，这就是三皇五帝的德政。

管仲得了重病，齐桓公去问候他，说："仲父，您病得很厉害了。如果病情加剧，民众都不再避讳此事，您看我将把国政托付给谁？"管仲回答说："以前我尽心竭力，还不能知道可以托付国家的人选。如今重病，命在旦夕之间，我怎么能说得出呢？"齐桓公说："这是国家大事，希望仲父教导我啊。"管仲恭敬地答应，说："您打算让谁担任宰相呢？"齐桓公说："鲍叔牙可以吗？"管仲回答说："不行，我了解鲍叔牙，鲍叔牙为人清正廉洁，刚直不阿，看到不如自己的人，便不去与之亲近；一旦听到别人的过错，一辈子也不能忘记。"齐桓公说："不得已的话，那么隰朋可以吗？"管仲回答说："隰朋的为人，对胜过自己的贤人追慕不已，对赶不上自己的人则劝勉不息。以自己赶不上黄帝为羞愧，对赶不上自己的人表示同情。他对于国政，细枝末节不去过问；他对于事物，分外的不去了解；对于人，不刻意苛察。万不得已的话，那么隰朋是可以的。”一国的宰相，可是个大官。当大官的人，不要苛察小事，不要耍小聪明，所以说：优秀的工匠只注意总体设计，而不亲自挥斧弄凿；优秀的厨师着意调和五味而不亲自搬弄锅盆碗盏；优秀的将军只指挥战斗而不亲自上阵打仗；正义的军队只征讨叛逆而不骚扰百姓。齐桓公早年厉行公正，摒弃个人爱憎，重用同自己有仇的管仲，终成五霸之首；后又放纵私欲，偏袒自己宠爱的人，任用奸佞竖刁，而落得国乱身亡，以致死后不能及时殡葬，尸体都腐烂生虫了。

人们年少时是愚昧的，长大以后变聪明了，但是聪明人把心思用在私利上，还不如愚昧的人把心思用在公益上。成天喝得酩酊大醉，却想使衣服整洁；满肚子的私欲，却倡导公正；贪婪暴戾，却想统一天下，即使聪明如舜也不可能做到。

去　私

【原文】

天无私覆也，地无私载也，日月无私烛也，四时无私行也。行其德而万物得遂长焉。

黄帝言曰：“声禁重，色禁重，衣禁重，香禁重，味禁重，室禁重。”

尧有子十人，不与其子而授舜；舜有子九人，不与其子而授禹。至公也。

晋平公问于祁黄羊曰：“南阳无令，其谁可而为之？”祁黄羊对曰：“解狐可。”平公曰：“解狐非子之仇邪？”对曰：“君问可，非问臣之仇也。”平公曰：“善。”遂用之。国人称善焉。居有间，平公又问祁黄羊曰：“国无尉，其谁可而为之？”对曰：“午可。”平公曰：“午非子之子邪？”对曰：“君问可，非问臣之子也。”平公曰：“善。”又遂用之。国人称善焉。孔子闻之曰：“善哉！祁黄羊之论也，外举不避仇，内举不避子。”祁黄羊可谓公矣。

墨者有钜子腹䵍(tūn)，居秦，其子杀人，秦惠王曰：“先生之年长矣，非有他子也，寡人已令吏弗诛矣，先生之以此听寡人也。”腹䵍对曰：“墨者之法曰：‘杀人者死，伤人者刑。’此所以禁杀伤人也。夫禁杀伤人者，天下之大义也。王虽为之赐，而令吏弗诛，腹䵍不可不行墨者之法。”不许惠王，而遂杀之。子，人之所私也。忍所私以行大义，钜子可谓公矣。

庖人调和而弗敢食，故可以为庖。若使庖人调和而食之，则不可以为庖矣。王伯之君亦然。诛暴而不私，以封天下之贤者，故可以为王伯。若使王伯之君诛暴而私之，则亦不可以为王伯矣。

【译文】

天覆盖万物，没有偏私；地负载万物，没有偏私；日月普照万物，没有偏私；春、夏、秋、冬四时周而复始，没有偏私。天地、日月、四季施其恩德，万物因此得以生长。

黄帝说：“音乐切忌过分繁复，色彩切忌过分艳丽，服饰切忌过分华贵，香气切忌过分浓郁，味道切忌过分厚重，居室切忌过分豪华。”

尧有十个儿子，他不把帝位传给自己的儿子却传给舜；舜有九个儿子，他不把帝位传给自己的儿子却传给禹。这是最大公无私的了。

晋平公问祁黄羊说：“南阳缺少一个邑令，谁可以担任此职呢？”祁黄羊说：“解狐可以胜任。”晋平公说：“解狐不是你的仇人吗？”祁黄羊回答说：“君王只问谁可以胜任南阳邑令，并不是问我的仇人是谁。”晋平公说：“是的。”于是任用了解狐。老百姓都说好。过了一些日子，晋平公又问祁黄羊说：“国家缺少一个掌管军事的尉官，谁可以担任此职呢？”祁黄羊回答说：“祁午可以胜任。”晋平公说：“祁午不是你的儿子吗？”祁黄羊回答说：“君王只问谁可以胜任尉官，并不是问我的儿子是谁。”晋平公说：“是的。”于是又任用了祁午。老百姓都说祁午很称职。孔子听到这些事，说："好啊！祁黄羊说的这些话真是好！推荐外人，不因为是自己的仇人而回避；推荐亲族，不因为是自己的儿子而回避。"祁黄羊可说得上大公无私了。

墨家有个重要人物叫腹䵍，住在秦国，他的儿子杀了人。秦惠王说："先生的年岁高了，而且没有其他的儿子，我已经命令官员不判他的死刑了，在这件事上，先生听从我的意见吧。"腹䵍回答说："墨家的法度是：'杀人的偿命，伤人的受刑。'这为的是要禁止杀人伤人。禁止杀人伤人，这是天下的公理。大王虽然对他格外施恩，命令官员不判他的死刑，但我腹䵍不能不执行墨家的法度。"于是不同意惠王的意见，把自己的儿子处死了。儿子，是每个人所偏爱的，忍痛割爱而去执行大义，腹䵍可说得上是大公无私了。

厨师调和五味而不敢食用，所以能够成为厨师。如果厨师调和五味而擅自食用，那么就不能成为厨师了。统治天下的君主也是这样，他们诛灭暴戾而不图谋私利，把国土封给天下的贤人，因此可以成为君主。如果统治天下的君主诛灭暴戾，却把一切利益都据为己有，那么也不可能成为君主了。

贵　生

【原文】

圣人深虑天下，莫贵于生。夫耳目鼻口，生之役也。耳虽欲声，目虽欲色，鼻虽欲芬香，口虽欲滋味，害于生则止。在四官者不欲，利于生者则弗为。由此观之，耳目鼻口不得擅行，必有所制。譬之若官职，不得擅为，必有所制。此贵生之术也。

尧以天下让于子州支父。子州支父对曰："以我为天子犹可也。虽然，我适有幽忧之病，方将治之，未暇在天下也。"天下，重物也，而不以害其生，又况于它物乎？惟不以天下害其生者也，可以托天下。

越人三世杀其君，王子搜患之，逃乎丹穴。越国无君，求王子搜而不得，从之丹穴。王子搜不肯出，越人薰之以艾，乘之以王舆。王子搜援绥登车，仰天而呼曰："君乎！独不可以舍我乎！"王子搜非恶为君也，恶为君之患也。若王子搜者，可谓不以国伤其生矣。此固越人之所欲得而为君也。

鲁君闻颜阖得道之人也，使人以币先焉。颜

阖守闾，粗布之衣，而自饭牛。鲁君之使者至，颜阖自对之。使者曰："此颜阖之家邪？"颜阖对曰："此阖之家也。"使者致币，颜阖对曰："恐听缪而遗使者罪，不若审之。"使者还反审之，复来求之，则不得已。故若颜阖者，非恶富贵也，由重生恶之也。世之人主多以富贵骄得道之人，其不相知，岂不悲哉！

故曰：道之真，以持身；其绪余，以为国家；其土苴，以治天下。由此观之，帝王之功，圣人之余事也，非所以完身养生之道也。今世俗之君子，危身弃生以徇物，彼且奚以此之也？彼且奚以此为也？

凡圣人之动作也，必察其所以之与其所以为。今有人于此，以随侯之珠弹千仞之雀，世必笑之。是何也？所用重，所要轻也。夫生，岂特随侯珠之重也哉？

子华子曰："全生为上，亏生次之，死次之，迫生为下。"故所谓尊生者，全生之谓。所谓全生者，六欲皆得其宜也。所谓亏生者，六欲分得其宜也。亏生则于其尊之者薄矣。其亏弥甚者也，其尊弥薄。所谓死者，无有所以知，复其未生也。所谓迫生者，六欲莫得其宜也，皆获其所甚恶者，服是也，辱是也。辱莫大于不义，故不义，迫生也，而迫生非独不义也，故曰迫生不若死。奚以知其然也？耳闻所恶，不若无闻；目见所恶，不若无见。

故雷则掩耳，电则掩目，此其比也。凡六欲者，皆知其所甚恶，而必不得免，不若无有所以知。无有所以知者，死之谓也，故迫生不若死。嗜肉者，非腐鼠之谓也；嗜酒者，非败酒之谓也；尊生者，非迫生之谓也。

【译文】

圣人深入地思考天下之事，发现没有什么比生命更加宝贵的。耳朵、眼睛、鼻子、嘴巴，是为生命服务的器官。即使耳朵想听声乐，眼睛想看色彩，鼻子想闻香气，嘴巴想吃美味，但若对生命有害，也要加以节制。对于耳朵、眼睛、鼻子和嘴巴所不想接受的，只要对生命有利，那么也应当去做。由此看来，耳朵、眼睛、鼻子、嘴巴不可擅自行动，必须要有所节制。这好比担任各种职务的官员，不可随意行事，一定要有所节制一样。这就是重视生命的方法。

尧打算把天下让给子州支父。子州支父回答说："让我做天子还可以。但是我恰巧有隐疾，正准备治疗，没有空闲去治理天下。"天下是多么大的事情，但他不因此而伤害自己的生命，又何况其他的事情呢？只有不因天下大事而伤害自己生命的人，才可以把天下托付给他。

越国的国民连续杀死了三代国君，王子搜感到很害怕，逃到采掘丹砂的山洞里。越国没有国君，到处寻找王子搜，却找不到，就循着他的踪迹找到他居住的山洞。王子搜不肯出来，国人就用艾蒿熏他，让他乘坐国君的车子。王子搜拿过缰绳登上车，仰天大呼道："继任君王大有人在，唯独不能放过我么？"王子搜并不是讨厌当国君，而是讨厌当国君而带来的灾祸。像王子搜这样的人，可以说是不为了当国君而伤害自己生命的人，这正是越国人要找到他来当国君的原因。

鲁国国君听说颜阖是个有道行的人，派人带着礼物事先向他致意。颜阖守在巷门边，穿着粗布衣，亲自喂牛。鲁君的使者到达时，颜阖亲自接待他。使者问："这是颜阖的家吗？"颜阖回答说："这是颜阖的家。"使者献上礼物，颜阖说："恐怕你听错了，误将礼物给我，反而使你获罪，你不如详细查清这件事。"使者回去反复核查后，又来找颜阖，可是找不到了。所以像颜阖这样的人，并不是厌恶富贵，只是由于看重生命而讨厌富贵。世上的国君，大多凭借富贵傲慢地对待有道行的人，他们太不了解这些人了，难道不可悲吗？

所以说：道的精粹，是用来养身的；多余的部分，是用来治理国家的；其残剩渣滓，是用来治理天下的。由此看来，帝王的功业，在圣人看来是次要的事情，不是用来保全身体修养生性的途径。当今的世俗君子，危害身躯、抛弃生命去追求身外之物，这些人为什么会落到这步田地呢？他们为什么要这样做呢？

大凡圣人在行动之前，一定要考察所追求的目的和所采取的措施。假如有人用随侯的宝珠去弹击千仞之上的鸟雀，世人一定会笑话他，这是什么原因呢？因为用来弹击的东西太贵重，所要得到的东西太轻贱了。而生命难道只抵得上随侯之珠的贵重吗？

子华子说："全面地顺应生性是最好的，部分地顺应生性要差一些，死亡又差一等，压制扭曲生性最差。"所以，所谓看重生性，就是说全面地顺应生性。所谓全面地顺应生性，是指各种生理欲望都得到适度的满足。所谓部分地顺应生性，是指各种生理欲望部分能得到适度的满足。部分地顺应生性，就是对于所看重的生性的压抑。不能适度满足的欲望越多，对于所看重的生性压抑就越急迫。所谓死，是指没有感知各种生理欲望的功能，重新回到生命未形成之前的状态。所谓压制扭曲生性，是指各种生理欲望没有得到适度的满足，得到的都是它所憎恶的。屈服于人是令人憎恶的，受辱于人也是令人憎恶的。没有什么比不行道义更为耻辱的了，所以不行道义，就是压制扭曲生性，但压制扭曲生性不仅仅表现为不行道义，所以说，压制扭曲生性还不如死去。凭什么知道是这样的呢？耳朵听到所厌恶的声音，不如什么声音也听不到；眼睛看到所厌恶的东西，不如什么东西也看不到。所以当雷霆轰鸣时，就掩上耳朵；当闪电掠过时，就蒙上眼睛。正是如此，大凡各种生理欲望，都有它们最为厌恶的东西，如果必须被迫接受，这就比没有感知各种生理欲望的功能还不如，没有感知各种生理欲望的功能，就是所谓的死亡了，所以压制扭曲生性还不如死去。嗜好吃肉的人，并不是说连腐烂的老鼠肉也喜欢吃；嗜好饮酒的人，并不是说连坏了的酒也喜欢喝；看重生命的人，并不是说要压抑扭曲生性。

先 己

【原文】

汤问于伊尹曰："欲取天下，若何？"伊尹对曰："欲取天下，天下不可取。可取，身将先取。"凡事之本，必先治身，啬其大宝。用其新，弃其陈，腠理遂通。精气日新，邪气尽去，及其天年。此之谓真人。

昔者，先圣王成其身而天下成，治其身而天下治。故善响者不于响于声，善影者不于影于形，为天下者不于天下于身。《诗》曰："淑人君子，其仪不忒。其仪不忒，正是四国。"言正诸身也。故反其道而身善矣；行义则人善矣；乐备君道而百官已治矣，万民已利矣。三者之成也，在于无为。无为之道曰胜天，义曰利身，君曰勿身。勿身督听，利身平静，胜天顺性。顺性则聪明寿长，平静则业进乐向，督听则奸塞不皇。故上失其道则边侵于敌，内失其行，名声堕于外。是故百仞之松，本伤于下，而末槁于上；商、周之国，谋失于胸，令困于彼。故心得而听得，听得而事得，事得而功名得。五帝先道而后德，故德莫盛焉；三王先教而后杀，故事莫功焉；五伯先事而后兵，故兵莫强焉。当今之世，巧谋并行，诈术递用，攻战不休，亡国辱主愈众，所事者末也。

夏后相与有扈战于甘泽而不胜，六卿请复之，夏后相曰：“不可。吾地不浅，吾民不寡，战而不胜，是吾德薄而教不善也。”于是乎处不重席，食不贰味，琴瑟不张，钟鼓不修，子女不饬，亲亲长长，尊贤使能，期年而有扈氏服。故欲胜人者必先自胜，欲论人者必先自论，欲知人者必先自知。

《诗》曰：“执辔如组。”孔子曰：“审此言也，可以为天下。”子贡曰：“何其躁也？”孔子曰：“非谓其躁也，谓其为之于此，而成文于彼也。圣人组修其身而成文于天下矣。”故子华子曰：“丘陵成而穴者安矣，(大水)深渊成而鱼鳖安矣，松柏成而涂之人已荫矣。”

孔子见鲁哀公，哀公曰：“有语寡人曰：‘为国家者，为之堂上而已矣。’寡人以为迂言也。”孔子曰：“此非迂言也。丘闻之：‘得之于身者得之人，失之于身者失之人。’不出于门户而天下治者，其唯知反于己身者乎！”

【译文】

商汤王问伊尹说：“我想要治理天下，该怎么办？”伊尹回答说：“如果只想治理天下，天下是不能治理好的。要使天下得到治理，自身先要得到治理。”大凡事物的根本，一定要先治理好自身，爱惜自己的精气。吸收新鲜养料，摒弃陈腐之气，这样，肌肤的纹理就会通畅。精气天天更新，邪气彻底去掉，就能得享天年，这种人就叫做归真得道的人。

从前，先代圣王自身修养获得成功，因而治理天下的大业也获得成功；他们自身得到治理，因而天下也得到治理。所以，善于了解产生回声的人不把精力花在回声上，而用心于考究引起回声的声源；善于了解出现影子的人不把精力花在影子上，而用心于考究产生影子的物体；善于治理天下的人不把精力花在天下大事上，而用心于修养自身。《诗经》上说："善良而有道德的人，他们的举止不会有差错。他们的举止没有差错，就能端正四方的国家。"这就是说首先必须端正自身。所以回到正身之道上来，自身就完善了；推行合乎仁义的事，国人就臻于完善了；乐于施行为君之道，百官就得到治理了，万民也就获得利益了。上述三者成功的原因，在于无为。无为之道说的是顺应天道自然，无为之义说的是保养自身，无为之君说的是凡事不必亲自去做。凡事不亲自做而去督促臣下，就能兼听群议，从而有利于自身的和平恬静，顺应自然，顺应生性。顺应生性就能聪明长寿，和平恬静就能使事业蒸蒸日上，人民乐于向往，兼听群议就能使奸邪阻塞，而自己不致惶惑。所以君王违背了正身之道，边疆就会被敌国侵扰；在国内丧失德行，就会在国外败坏名声。因此百仞高的松树，下面的根部受到伤害，上面的树梢就会枯萎；商代、周代这些国家，它们的末代国君由于胸中谋划失策，因而命令在下面得不到执行。所以内心获得正身之道，就能倾听到全面的意见；倾听到全面的意见，政事就能得到治理；政事得到治理，功名就可以成就。黄帝、颛顼、帝喾、尧、舜五帝首先重视正身之道，然后施行德政，所以其道德之高尚无与伦比；夏启、商汤、周武王三王先实行教化，当教而不化后实行刑罚，所以其事业之成功无与伦比；齐桓公、晋文公、秦穆公、宋襄公、楚庄王五霸先实行礼让之事，然后动用武力，所以他们的军队强大无比。当今的时代，巧妙的计谋竞相施行，狡诈的手段交替使用，攻伐交战没有休止，亡国辱君的现象越来越多，是因为他们尽干些细枝末节的事情。

夏代开国国君启同诸侯有扈氏在甘泽作战，未能取胜，六军的将领请求再战，夏启说："不行。我的土地不少，我的人民不少，作战不能取胜，这是因为我的道德浅薄，教化不行啊。"从此他坐卧不用两层席垫，饮食不尝丰腴的滋味，不置琴瑟，不设钟鼓，不打扮子女，而亲近父母，敬爱长者，尊敬任用贤能的人，不到一年，有扈氏就降服了。所以说要战胜别人，必须首先战胜自己；要评论别人，必须首先评论自己；要了解别人，必须首先了解自己。

《诗经》上说："握着缰绳好比握着纹理清晰的丝带。"孔子说："深刻地理解了这句诗，就可以治理天下了。"子贡说："为什么这么急躁呢？"孔子说："这不是说急躁呀，诗文虽然写的是拿着缰绳驾驭奔马，但它的含义则是指处理事情像丝带一样文理清晰，有条不紊。圣人像文理清晰的丝带一样有条不紊地修养自身，从而把天下治理得井然有序。"所以子华子说："丘陵形成后那些穴居的动物就能安身了，深渊形成后鱼鳖就能安居了，松柏长成后路上的行人就能避荫了。"

孔子拜见鲁哀公，哀公说："有人对我说：'治理国家的人，只需在殿堂之上治理就行了。'我认为是迂腐的言论。"孔子说："这不是迂腐的言论。我听说过：'自身得到治理的人，就得到民众；自身失于治理的人，就失去民众。'不出门就能治理天下的人，恐怕正是因为他懂得返回到治理自身这个根本上来啊！"

劝 学

【原文】

先王之教，莫荣于孝，莫显于忠。忠孝，人君人亲之所甚欲也；显荣，人子人臣之所甚愿也。然而人君人亲不得其所欲，人子人臣不得其所愿，此生于不知理义。不知理义，生于不学。学者师达而有材，吾未知其不为圣人。圣人之所在，则天下理焉。在右则右重，在左则左重，是故古之圣王未有不尊师者也。尊师则不论其贵贱贫富矣。若此则名号显矣，德行彰矣。故师之教也，不争轻重尊卑贫富，而争于道。其人苟可，其事无不可。所求尽得，所欲尽成，此生于得圣人。圣人生于疾学。不疾学而能为魁士名人者，未之尝有也。疾学在于尊师，师尊则言信矣，道论矣。故往教者不化，召师者不化，自卑者不听，卑师者不听。师操不化不听之术而以强教之，欲道之行、身之尊也，不亦远乎？学者处不化不听之势而以自行之，欲名之显、身之安也，是怀腐而欲香也，是入水而恶濡也。

凡说者，兑之也，非说之也。今世之说者，多弗能兑，而反说之。夫弗能兑而反说，是拯溺而砭之以石也，是救病而饮之以堇也。使世益乱、不肖主重惑者，从此生矣。故为师之务，在于胜理，在于行义。理胜义立则位尊矣，王公大人弗敢骄也，上至于天子，朝之而不惭。凡遇合也，合不可必。遗理释义。以要不可必，而欲人之尊之也，不亦难乎？故师必胜理行义然后尊。

曾子曰："君子行于道路，其有父者可知也，其有师者可知也。夫无父而无师者，余若夫何哉！"此言事师之犹事父也。曾点使曾参，过期而不至，人皆见曾点曰："无乃畏邪？"曾点曰："彼虽畏，我存，夫安敢畏？"孔子畏于匡，颜渊后，孔子曰："吾以汝为死矣。"颜渊曰："子在，回何敢死？"颜回之于孔子也，犹曾参之事父也。古之贤者，与其尊师若此，故师尽智竭道以教。

【译文】

先王的教化，没有什么比孝更荣耀的，没有什么比忠更显赫的。忠孝是国君和父母所迫切需求的，显赫和荣耀是做儿子和臣子所特别希望的。但是国君和父母不能满足自己的需求，儿子和臣子不能满足自己的愿望，这是因为不懂道义。不懂道义，是因为不学习。求学的人拜通达事理、富有才干的人为师，我不相信这样的人不会成为圣人。圣人所在的国家，社会就一定能得到治理。他处在这个国家，这个国家就会被看重；处在那个国家，那个国家就会被看重。所以古代的圣王没有不尊师的。既尊师，就不会考虑老师地位的高低贵贱，是富裕还是贫穷了。如果这样，帝王的名号就显赫了，德行就彰明了。所以

为师的人教育学生，不要计较学生权势的轻重，是尊贵还是卑贱，是贫穷还是富裕，只计较他们是否接受你所传的道。只要这个人可以教育，事情就没有不可以办成的，所要求的全能得到，所想的全能成功，这种情形只有得到圣人之后才会出现。而圣人产生于努力学习之中，不努力学习却能成为伟大而著名的人物，这种情况是从来没有的。努力学习在于要尊师，老师得到尊重，那么他的话就能为人所相信，他的道也就能够阐明了。因此主动前往施教的人，是不能将受教育者教化好的，把教师召到自己身边的人，也是不能受到教化的。自卑的老师，他的教诲不会被人所听信，轻视教师的人，也不会听信教师的教诲。教师运用不能教化别人和不能使人听从的方法勉强地去教育别人，要想使自己的主张得到推行，使自身得到尊敬，不是差得远吗？学生抱着不接受教化、不听从教诲的态度，自行其是，却想要名声显赫，自身安全，这好比怀揣腐烂的东西却希望散发芳香，也好比没入水中却不愿打湿身子一样，是根本不可能的。

凡是讲学的人，应使人心悦诚服，而不是进行生硬的说教。当今的讲学者，大多不能使人心悦诚服，反倒生硬地去说教，这就像拯救落水的人反倒用石头让他沉下去，就像救治病人却反倒让他喝毒药。从而世道更加混乱，无能的君主和极其昏庸之辈便由此产生了。所以当教师的要务，在于明辨事理，在于推行正确的学说。事理明辨了，正确的学说得到确立，那么老师的地位也就尊贵了，帝王公卿不敢傲慢，即使至高无上的天子朝见他也受之无愧。大凡一时相遇被人赏识，这种赏识是偶然的，放弃自己的理论和学说去追求那种偶然的赏识，而想要别人尊重自己，不是太难了吗？所以当老师的一定要明辨事理，推行正确的学说，然后才会受到尊重。

曾子说："君子在道路上行走，他心中尊敬父亲的情形是可想而知的，他尊敬老师的情形是可想而知的。那些不尊敬父亲、不尊敬老师的人，对其余的人又会怎样呢？"这是说对待老师就如同对待父亲一样。曾子的父亲曾点把曾参派出去，曾参超过了预定的日期没有回来，人们见到曾点都说："他不会是躲起来了吧？"曾点说："他即使躲起来，我还活着，他怎么敢躲藏而不露面呢？"孔子被围困在匡地，颜渊后来才赶到，孔子说："我以为你死了。"颜渊说："您活着，我怎么敢死呢？"颜渊对孔子的态度，就好像曾参侍奉父亲一样。古代的贤人，因为他们尊敬老师到了这样的程度，所以老师竭尽自己全部的智慧和学问来教诲他们。

大　乐

【原文】

乐之所由来者远矣，生于度量，本于太一。太一出两仪，两仪出阴阳。阴阳变化，一上一下，合而成章。浑浑沌沌，离则复合，合则复离，是谓天常。天地车轮，终则复始，极则复反，莫不咸当。日月星辰，或疾或徐，日月不同，以尽其行。四时代兴，或暑或寒，或短或长，或柔或刚。万物所出，造于太一，化于阴阳。萌芽始震，凝𣶒以形。形体有处，莫不有声。声出于和，和出于适。先王定乐，由此而生。

天下太平，万物安宁。皆化其上，乐乃可成。成乐有具，必节嗜欲。嗜欲不辟，乐乃可务。务乐有术，必有平出。平出于公，公出于道。故惟得道之人，其可与言乐乎！亡国戮民，非无乐也，其乐不乐。溺者非不笑也，罪人非不歌也，狂者非不武也，乱世之乐有似于此。君臣失位，父子失处，夫妇失宜，民人呻吟，其以为乐也，若之何哉？

凡乐，天地之和、阴阳之调也。始生人者，天也，人无事焉。天使人有欲，人弗得不求；天使人有恶，人弗得不辟。欲与恶，所受于天也，人不得与焉，不可变，不可易。世之学者，有非乐者矣，安由出哉？

大乐，君臣、父子、长少之所欢欣而说也。欢欣生于平，平生于道。道也者，视之不见，听之不闻，不可为状。有知不见之见、不闻之闻、无状之状者，则几于知之矣。道也者，至精也，不可为形，不可为名，强为之，谓之太一。故一也者制令，两也者从听。先圣择两法一，是以知万物之情。故能以一听政者，乐君臣，和远近，说黔首，合宗亲。能以一治其身者，免于灾，终其寿，全其天；能以一治其国者，奸邪去，贤者至，成大化；能以一治天下者，寒暑适，风雨时，为圣人。故知一则明，明两则狂。

【译文】

音乐的由来已很久远了，它从度量的法则中产生，它的根源深植于浑沌的“太极”元气之中。浑沌的“太极”元气产生两仪，两仪又产生阴阳。阴阳变化，阳气上扬，阴气下沉，互相交合而生成万物的形态。浑浑沌沌的元气，分离了又重新融合，融合了又重新分离，这是自然界运动变化的规律。天地变化如同车轮的运转，到了终点又重新开始，周行循环，恰到好处。日月星辰的运行，有的迅速，有的缓慢，它们虽然不同时，但都是按自己的轨迹运行。春夏秋冬四季交替，有时暑热，有时寒冷；寒暑的持续有时短暂，有时长久；有时阴柔之气旺盛，有时阳刚之气充沛。万物之所以生长，其本源在浑沌的“太极”元气之中，其变化则是由于阴阳的交替。阳气催发，胚芽开始萌发，动物开始苏醒；阴气凝结，使万物具备形体。形体必有孔窍，有孔窍必然产生声音。声音出自相互和谐，相互和谐体现了关系的适调。先王制定音乐，就由此而来。

天下太平，万民安宁，都归顺朝廷，音乐才可创制完成。制作音乐有一定的条件，必须节制嗜欲，嗜欲不邪僻，才可以从事音乐制作。创制音乐有一定的方法，必须从和平中产生，和平产生于公正，公正产生于道德。所以只有具备高尚道德的人，才可以与之谈论音乐啊！被消亡的国家、遭屠戮的人民并非没有音乐，不过那音乐不能使人快乐。淹没在水中的人并非不能发笑，身受责罚的人并非不能唱歌，癫狂的人并非不能舞蹈，乱世的音乐，正好与此相似。君臣失去了权位，父子失去了归宿，夫妻失去了正常关系，人民在痛苦中呻吟，如果在这种情况下制作音乐，那又怎么能成呢？

凡是音乐，都是天地和谐、阴阳调适的反映。最初生成人类的是天，人类没有参与自身的创造。上天使人有了欲望，人不得不有所追求。上天使人有了憎恶，因而人不得不有所回避。欲望与憎恶秉承于上天，人类不能参与创造自身，而且不可更改，不可变易。世上的学者，有非议音乐的，他们的根据是什么呢？

真正的音乐，是君臣、父子、老幼都感到欢欣愉悦的。欢欣的情感产生于平和的心境，平和的心境产生于“道”。“道”，你看不见它，听不到它，不可加以形容。有能理解这看不见的形象、听不到的声音、形容不了的状态的，那么他也就接近于“道”了。“道”极为精粹，不可以形容，不可以给它命名，勉强名之可称为“太一”。因此“一”是处于发号施令的地位，“两”是处于听从命令的地位。先圣放弃处于听从地位的“两”而效法处于号令地位的“一”，这是他能知晓万物的情由。能够依据“道”来处理政事的人，可以使君臣欢愉，远近和谐，百姓喜悦，宗族亲戚团结。能够依据“太一”——“道”来治理自身的人，可以免除灾祸，终享天年，保全天性。能够依据“太一”——“道”来治理国家的人，可以使奸邪遁迹，贤良来归，成就教化大业。能够依据“太一”——“道”来治理天下的人，可以使寒暑适宜，风雨依时，成为圣人。所以通晓处于号令地位的“太一”——“道”就英明，只懂得处于听从地位的“两”就狂乱。

明　理

【原文】

五帝三王之于乐，尽之矣。乱国之主未尝知乐者，是常主也。夫有天赏得为主，而未尝得主之实，此之谓大悲。是正坐于夕室也，其所谓正乃不正矣。

凡生，非一气之化也；长，非一物之任也；成，非一形之功也。故众正之所积，其福无不及也；众邪之所积，其祸无不逮也。其风雨则不适，其甘雨则不降，其霜雪则不时，其寒暑则不当，阴阳失次，四时易节，人民淫烁不固，禽兽胎消不殖，草木庳小不滋，五谷萎败不成。其以为乐也，若之何哉？

故至乱之化，君臣相贼，长少相杀，父子相忍，弟兄相诬，知交相倒，夫妻相冒，日以相危，失人之纪，心若禽兽，长邪苟利，不知义理。

其云状：有若犬、若马、若白鹄、若众车；有其状若人，苍衣赤首，不动，其名曰天衡；有其状若悬旍而赤，其名曰云旍；有其状若众马以斗，其名曰滑马；有其状若众植华以长，黄上白下，其名蚩尤之旗。其日有斗蚀，有倍僪，有晕珥，有不光，有不及景，有众日并出，有昼盲，有宵见。其月有薄蚀，有晖珥，有偏盲，有四月并出，有二月并见，有小月承大月，有大月承小月，有月蚀星，有出而无光。其星有荧惑，有彗星，有天棓，有天欃，有天竹，有天英，有天干，有贼星，有斗星，有宾星。其气有上不属天，下不属地，有丰上杀下，有若水之波，有若山之楫；春则黄，夏则黑，秋则苍，冬则赤。其妖孽有生如带，有鬼投其陴，有菟生雉，雉亦生鴳，有螟集其国，其音匈匈，国有游虵西东，马牛乃言，犬彘乃连，有狼入于国，有人自天降，市有舞鸱，国有行飞，马有生角，雄鸡五足，有豕生而弥，鸡卵多毈，有社迁处，有豕生狗。国有此物，其主不知惊惶亟革，上帝降祸，凶灾必亟。其残亡死丧，殄绝无类，流散循饥无日矣。此皆乱国之所生也，不能胜数，尽荆、越之竹，犹不能书。故子华子曰："夫乱世之民，长短颉啎，百疾，民多疫疠，道多褓襁，盲秃伛尪，万怪皆生。"故乱世之主，乌闻至乐？不闻至乐，其乐不乐。

【译文】

五帝三王已经是极尽欢乐了。乱国之主，不曾了解什么是欢乐，这是一些平庸的君主。他们即使碰上天赐良机，获得君主的名号，却未曾得到君主的实际，这可以说是极大的悲哀，这正如坐在方位不正的屋子里，自以为方位正了，实际上没有正。

万物的滋生并不只是靠一种气化育成的，其生长也不是单一的物

质所能承担的，其形成也不是统一模式造化的功效。所以众多的正理积累起来，福运就没有不降临的；众多的邪行积累起来，灾祸就没有不降临的。灾祸临头，风雨就不适调，及时雨就不降洒，霜雪就不依时，寒暑就不适当，阴阳错位，四时失常，百姓怀孕不能保全而早产，禽兽的胎儿流产不能繁殖，草木矮小不能滋长，五谷萎败不能成熟。如果这时还要寻欢作乐，那还有什么办法呢？所以教化极为混乱的社会，使君臣互相残害，长幼互相厮杀，父子互相残杀，兄弟互相诬蔑，挚友互相倾轧，夫妻互相忌妒，天天彼此危害，这就丧失了人伦纲纪，居心如同禽兽，助长邪恶苟且图利，不知什么是道义天理。

说到云彩的形状：有的像狗、像马、像白天鹅、像众多的车辆；有的形状像人，穿着青色的衣服，长着红色的脑袋，一动也不动，它的名字叫“天衡”；有的形状像悬挂着的红色锅釜，它的名字叫“云旍”；有的形状像争斗的马群，它的名字叫“滑马”；有的形状像一丛丛长长的菌类，上面是黄色，下面是白色，它的名字叫“蚩尤之旗”。至于日象，有日蚀的现象，有云气绕日反射的现象，有日边生晕的现象，有太阳无光的现象，有日光模糊不能照射成影的现象，有几个太阳同时并生的现象，有白昼昏暗的现象，有夜晚极光出现的现象。至于月象，有月蚀现象，有月边生晕的现象，有月亮部分昏暗的现象，有四个月亮同时并出的现象，有两个月亮同时并出的现象，有小月亮承托着大月亮、大月亮承托着小月亮的现象，有月亮掩蚀星星的现象，有月出而无光的现象。至于星象，有荧惑星，有彗星，有天棓星，有天欃星，有天竹星，有天英星，有天干星，有贼星，有斗星，有宾星。至于气象，有的云气上不接天，下不挨地，有的上粗下细，有的如水之波涛，有的如山峰聚集。春天就呈黄色，夏天呈黑色，秋天呈青色，冬天呈红色。至于妖孽之兆，有怪物像带子一样，有鬼魅倒卧在门槛，有的兔子生下山鸡，山鸡也产下鹌鹑，有螟虫聚集在国都，螟蛾振翅声大得惊人，国都中有游蛇乱窜，牛马竟然讲人话，猪狗竟然交配，有野狼窜入国都，有人自天而降，市集上有鸱鹰舞蹈，国都中有怪物流行，马居然长角，雄鸡居然有五条腿，有猪仔产下来即作婴儿啼哭，鸡蛋多不能孵化，社庙迁移了位置，猪生下了狗。国家出现这类现象，它的国君不知道惊恐而急求革新，天帝将降下灾祸，凶险之灾必定来到。其残败灭亡、人死命丧、断子绝孙、流离饥饿的日子快来了。这种种情形都是混乱之国所产生的，数不胜数，即使砍尽荆楚、吴越的竹子，也不能一一记载。所以子华子说："乱世的百姓，高矮不齐，大头直颈，出现种种残疾；百姓又多患疫疠，道路上多有弃婴、瞎子、秃子、驼背、鸡胸，各种怪现象都产生了。"所以乱世之主怎能听到最令人快乐的音乐呢？听不到最令人快乐的音乐，而他自己制作音乐决不能带来快乐。

振　乱

【原文】

当今之世浊甚矣，黔首之苦不可以加矣。天子既绝，贤者废伏，世主恣行，与民相离，黔首无所告愬。世有贤主秀士，宜察此论也，则其兵为义矣。天下之民，且死者也而生，且辱者也而荣，且苦者也而逸。世主恣行，则中人将逃其君、去其亲，又况于不肖者乎？故义兵至，则世主不能有其民矣，人亲不能禁其子矣。

凡为天下之民长也，虑莫如长有道而息无道，赏有义而罚不义。今之世学者多非乎攻伐。非攻伐而取救守，取救守，则向之所谓长有道而息无道、赏有义而罚不义之术不行矣。天下之民长，其利害在察此论也。攻伐之与救守一实也，而取舍人异。以辨说去之，终无所定论。固不知，悖也；知而欺心，诬也。诬悖之士，虽辨无用矣。是非其所取而取其所非也，是利之而反害之也，安之而反危之也。为天下之长患、致黔首之大害者，若说为深。夫以利天下之民为心者，不可以不熟察此论也。

夫攻伐之事，未有不攻无道而罚不义也。攻

无道而伐不义，则福莫大焉，黔首利莫厚焉。禁之者，是息有道而伐有义也，是穷汤、武之事而遂桀、纣之过也。凡人之所以恶为无道、不义者，为其罚也；所以蕲有道、行有义者，为其赏也。今无道不义存，存者，赏之也；而有道、行义穷，穷者，罚之也。赏不善而罚善，欲民之治也，不亦难乎？故乱天下、害黔首者，若论为大。

【译文】

当今的世道混乱极了，百姓的痛苦无以复加了。天子再没出现，贤德的人被废黜埋没，当代的国君肆意妄行，与人民相背离，百姓无处倾诉。如果当代有贤明的君主和才能出众的士人，就应当洞察其中的道理，那么他们的军队就能成为正义之师，天下的人民，濒临死亡的因而获得新生，将要受辱的因而得到荣耀，将要受苦的因而获得安逸。当代的国君肆意妄行，那么一般人就会避开他们的国君，离开他们的父母，又何况愚昧卑鄙的人呢？所以只要正义的军队来到，那么当代的国君就不能拥有他的人民了，父母也不能阻止自己的子女归附贤君秀士了。

凡是作为天下人民首领的，最好的计策莫过于扶助有道、消灭无道，奖赏正义、惩罚不义。当今天下，读书人大多反对攻战征伐，反对攻战征伐就是选取救护自守，选取救护自守势必使前面所说的扶助有道、消灭无道、奖赏正义、惩罚不义的主张得不到推行了。作为天下人民的首领，关键就在于能否明察这一道理。攻战征伐和救护自守其实质上是一样的，但人们赞成或反对，态度却不同，他们通过辩论游说互相攻击，最终也不能取得确定的结论。本来不知道自己所持观点的错误，这是糊涂；明知自己所持观点的错误，却还欺心，这是欺骗。欺骗和糊涂的人，虽然能言善辩，但不可使用。这是因为他们反对本应坚持的，却坚持本应反对的。他们想有利于别人却反而害了别人，想使别人安定却反而使人危险。成为天下长久祸害，带给百姓重大危害的，以这种反对攻伐的学说最为深重。那些以有利天下人民为志向的人，不可不仔细地考察这个道理。

关于攻战讨伐这类事，没有不是攻伐无道和惩罚不义的。攻伐无道和征讨不义，幸福就无比之大，百姓所得的好处就无比之多。禁止攻伐，这就是消灭有道和讨伐正义，这是使商汤和周武王的事业困顿，而放任夏桀和商纣王的罪过。大凡人们之所以不愿成为无道和不义的人，是因为这种人要遭到惩罚；人们之所以希望成为有道和正义的人，是因为这种人会受到奖赏。如今无道和不义的人还存在，容许其存在就是奖赏他们；而有道和正义的人却穷困潦倒，让其穷困潦倒就是惩罚他们。奖赏不善的却惩罚善良的，而要想使人民得到治理，不也太困难了吗？所以使天下混乱、危害百姓的，要以这种主张最为严重。

论 威

【原文】

义也者，万事之纪也，君臣、上下、亲疏之所由起也，治乱、安危、过胜之所在也。过胜之道，勿求于他，必反于己。

人情欲生而恶死，欲荣而恶辱。死生荣辱之道一，则三军之士可使一心矣。

凡军，欲其众也；心，欲其一也。三军一心，则令可使无敌矣。令能无敌者，其兵之于天下也，亦无敌矣。古之至兵，民之重令者也。重乎天下，贵乎天子。其藏于民心，捷于肌肤也，深痛执固，不可摇荡，物莫之能动。若此则敌胡足胜矣？故曰其令强者其敌弱，其令信者其敌诎。先胜之于此，则必胜之于彼矣。

凡兵，天下之凶器也；勇，天下之凶德也。举凶器，行凶德，犹不得已也。举凶器必杀，杀，所以生之也；行凶德必威，威，所以慑之也。敌慑民生，此义兵之所以隆也。故古之至兵，士民未合，而威已谕矣，敌已服矣，岂必用枹鼓干戈哉？故善谕威者，于其未发也，于其未通也，窅窅乎冥冥，莫知其情，此之谓至威之诚。

凡兵，欲急疾捷先。欲急疾捷先之道，在于知缓徐迟后而急疾捷先之分也。急疾捷先，此所以决义兵之胜也。而不可久处，知其不可久处，则知所兔起凫举死殙之地矣。虽有江河之险则凌之，虽有大山之塞则陷之，并气专精，心无有虑，目无有视，耳无有闻，一诸武而已矣。冉叔誓必死于田侯，而齐国皆惧；豫让必死于襄子，而赵氏皆恐；成荆致死于韩主，而周人皆畏；又况乎万乘之国，而有所诚必乎，则何敌之有矣？刃未接而欲已得矣。敌人之悼惧惮恐、单荡精神，尽矣，咸若狂魄，形性相离，行不知所之，走不知所往，虽有险阻要塞，銛兵利械，心无敢据，意无敢处，此夏桀之所以死于南巢也。今以木击木则拌，以水投水则散，以冰投冰则沉，以涂投涂则陷，此疾徐先后之势也。

夫兵有大要，知谋物之不谋之不禁也，则得之矣，专诸是也，独手举剑至而已矣，吴王壹成。又况乎义兵，多者数万，少则数千，密其躅路，开敌之涂，则士岂特与专诸议哉？

【译文】

道义是万事的纲纪，是君臣、长幼、亲疏关系的基础，是治乱、安危和克敌制胜的关键所在。克敌制胜的方法，不要在别的方面去寻求，必须在自身上寻找。

人之常情是希望生而不愿死，希望获得荣誉而厌恶耻辱。生死荣辱的原则统一了，那么全军将士就可以思想统一了。

大凡军队，兵员要众多，军心要一致，全军上下一条心，就可使军令必行，威重无可匹敌。军令必行，无可匹敌，他的军队在天下也就所向无敌了。古代最好的士兵，是百姓中最重视命令的人，他把军令看得比天下还重要，比天子还尊贵。军令深入民心，关系切身痛痒，因此军令愈是深入人心，关系愈是切身痛痒，执行便愈坚决，不可动摇，任何事物都不能使他改变。像这样的军队，敌人怎么能够取胜它呢？所以说号令坚定的军队，它的敌人就会变得软弱无力，号令雷厉风行的军队，它的敌人就会屈服。号令首先能够通行于全军，那么就能胜敌于疆场。

大凡兵器都是天下的凶器，勇猛是天下的凶德。拿起凶器，实行凶德，那是迫不得已。拿起凶器一定要杀人，杀人是为了使自身得以生存；实行凶德一定要显威，显威是为了使别人害怕。敌人害怕，人民就得以生存，这是正义之师能够受到尊敬的原因。所以古代最好的军队，尚未聚合雄才俊杰之士，军威就已经家喻户晓了，敌人就已经屈服了，难道一定要紧擂战鼓、大动干戈吗？所以善于晓谕军威的人，要把功夫用在战争没有爆发、战书还没有下达之前，要使军机幽深而隐晦，无人了解他的真实情形，这就叫做威力无比，最有实效。

凡是作战，要强调快速和敏捷。做到快速和敏捷的办法，在于知道拖沓和迟钝同快速和敏捷的区别。快速和敏捷，这是决定战争胜利的因素。险绝之地是不可久留的，知道不可久留，则应该知道像兔子奔走、野鸭起飞那样迅速地脱离险境。即使有江河的险阻也要超越它，即使有大山的阻挡也要攻陷它，屏住呼吸，集中精神，心无杂念，眼睛不看别的东西，耳朵不听别的声音，只是把全副心力都投入战斗。冉叔发誓一定要同田侯拼死，因而整个齐国都很恐惧；豫让一定要同赵襄子拼死，因而赵氏家族都很恐惧；成荆要同韩国国君拼死，因而周朝的人都很害怕；这些人仅只个人以死相拼，竟使一国人都害怕，又何况拥有一万辆兵车的国家，并且抱定必胜的信念，那还有谁可以匹敌呢？不等交兵，心愿就可以实现了。敌人恐惧害怕，精神彻底崩溃，全都像疯子一样，魂不附体，走不知道往哪里去，跑也不知道往哪里逃，即使有险要的地形和关隘，有锋利的兵器，内心却不敢据守，意志丧失，这是夏桀王之所以死在南巢的原因。如果用木击木，被击的木就会裂开，用水拍打水，被拍打的水就会溅散，用冰碰撞冰，被碰撞的冰就会沉没，用泥投射泥，被投射的泥就会陷塌，这就是快慢先后的不同态势。

用兵有一项重大的要诀，如果懂得谋算敌方不曾想到之处和攻击敌方无法防御之处，那么，就懂得用兵的要领了。专诸就是这样，他独自手举着藏在鱼腹中的匕首来到吴王僚跟前，吴王被一击毙命。更何况正义之师，多的有几万人，少的有几千人。能够周密地计划自己的行动路线，开辟战胜敌人的途径，那么，这些将士岂只能同专诸相提并论吗？

当　务

【原文】

辨而不当论，信而不当理，勇而不当义，法而不当务，惑而乘骥也，狂而操吴干将也，大乱天下者，必此四者也。所贵辨者，为其由所论也；所贵信者，为其遵所理也；所贵勇者，为其行义也；所贵法者，为其当务也。

跖之徒问于跖曰："盗有道乎？"跖曰："奚啻其有道也？夫妄意关内，中藏，圣也；入先，勇也；出后，义也；知时，智也；分均，仁也。不通此五者，而能成大盗者，天下无有。"伲说非六王、五伯，以为"尧有不慈之名，舜有不孝之行，禹有淫湎之意，汤、武有放杀之事，五伯有暴乱之谋。世皆誉之，人皆讳之，惑也"。故死而操金椎以葬，曰"下见六王、五伯，将敲其头"矣。辨若此，不如无辨。

楚有直躬者，其父窃羊而谒之上，上执而将

诛之。直躬请代之。将诛矣，告吏曰：“父窃羊而谒之，不亦信乎？父诛而代之，不亦孝乎？信且孝而诛之，国将有不诛者乎？”荆王闻之，乃不诛也。孔子闻之曰：“异哉直躬之为信也。一父而载取名焉。”故直躬之信，不若无信。

齐之好勇者，其一人居东郭，其一人居西郭。卒然相遇于涂，曰：“姑相饮乎？”觞数行，曰：“姑求肉乎？”一人曰：“子，肉也；我，肉也。尚胡革求肉而为？于是具染而已。”因抽刀而相啖，至死而止。勇若此，不若无勇。

纣之同母三人，其长曰微子启，其次曰中衍，其次曰受德。受德乃纣也，甚少矣。纣母之生微子启与中衍也尚为妾，已而为妻而生纣。纣之父、纣之母欲置微子启以为太子，太史据法而争之曰：“有妻之子，而不可置妾之子。”纣故为后。用法若此，不若无法。

【译文】

辩论却不合于公论，忠信却不合于常理，勇敢却不合于正义，守法却不合于时务，这如同昏惑的人骑着骏马，癫狂的人拿着吴地所出的“干将”名剑，大乱天下的人必定是以上这四种人。之所以要重视辩论，是因为能依循公论；之所以要重视忠信，是因为能遵循常理；之所以要重视勇敢，是因为能履行正义；之所以要看重法则，是因为能切合时务。

盗跖的门徒问盗跖说：“大盗也有道吗？”跖说：“岂止是有道呢？

猜测门内的情况，猜中了所藏的财物，这是圣；首先入内，这是勇；最后退出，这是义；知道作案时机，这是智；分配均等，这是仁。不精通以上这五项却能成为大盗的，天下是没有的。”倪说诋毁尧、舜、禹、商汤、周文王、周武王这六王和齐桓公、晋文公、楚庄王、秦穆公、宋襄公这五霸，他认为：“尧杀害自己的长子丹朱，有不仁慈的名声；舜流放自己的父亲瞽瞍，有不孝顺的行为；禹曾遇涂山女，有沉湎于女色的思想；商汤王放逐夏桀于南巢、周武王弑商纣于宣室；五霸争国，以大并小，骨肉相残，有暴乱的图谋。可世人都赞美他们，人人都掩饰其过，真令人迷惑不解。”所以他死了还要拿着金椎下葬，说什么“在地下见到六王、五霸，要敲他们的脑壳”。像这样的辩论，不如不辩论。

楚国有个叫直躬的人，他父亲偷了羊，他就上告官府，官府抓住他的父亲并要杀掉，直躬请求代替父亲受刑。将要行刑了，他告诉官吏说：“父亲偷羊我却告发他，不也太诚实了吗？父亲要被处死，我却代替他，不也太孝顺了吗？既诚实又孝顺，却要处死我，国家还会有不被处死的人吗？”楚王听了这些话，就不处死他了。孔子听说这事，说：“直躬所谓的诚实真是奇怪啊！利用他父亲的一桩事却两次取得好名声。”所以，直躬这样的诚实，不如不诚实。

齐国有两个喜好炫耀勇敢的人，一个住在东郭，一个住在西郭。一次，两人突然在路上相遇，打招呼说："一块儿去喝酒吧？"喝了几杯酒以后，其中一个说："找点肉来吃吧！"另一个说："你身上有肉，我身上也有肉，又何必另外去找肉呢？准备好豆酱等调料就行了。"于是他俩抽出刀来相互割着肉吃，一直到死才停止。像这样的勇敢，不如不勇敢。

纣王的同母兄弟共三人，大的叫微子启，第二个叫中衍，第三个叫受德。受德就是纣王，最小。纣王的母亲生微子启和中衍时还是妾，不久成为正妻才生下了纣。纣的父母亲想立微子启为太子，太史根据法典争辩说："有正妻生的儿子，就不能立妾生的儿子。"纣因此被立为王位继承人。像这样运用法典，不如没有法典。

介　立

【原文】

以贵富有人易，以贫贱有人难。今晋文公出亡，周流天下，穷矣，贱矣，而介子推不去，有以有之也。反国有万乘，而介子推去之，无以有之也。能其难，不能其易，此文公之所以不王也。晋文公反国，介子推不肯受赏，自为赋诗曰："有龙于飞，周遍天下。五蛇从之，为之丞辅。龙反其乡，得其处所。四蛇从之，得其露雨。一蛇羞之，桥死于中野，悬书公门，而伏于山下。"文公闻之曰："嘻！此必介子推也。"避舍变服，令士庶人曰："有能得介子推者，爵上卿，田百万。"或遇之山中，负釜盖簦，问焉曰："请问介子推安在？"应之曰："夫介子推苟不欲见而欲隐，吾独焉知之？"遂背而行，终身不见。人心之不同，岂不甚哉？今世之逐利者，早朝晏退，焦唇干嗌，日夜思之，犹未之能得；今得之而务疾逃之，介子推之离俗远矣。

东方有士焉，曰爰旌目，将有适也，而饿于道。狐父之盗曰丘，见而下壶餐以餔之。爰旌目三餔之而后能视，曰："子何为者也？"曰："我狐父之人丘也。"爰旌目曰："嘻！汝非盗邪？胡为而食我？吾义不食子之食也。”两手据地而吐之，不出，喀喀然遂伏地而死。郑人之下鼬也，庄蹻之暴郢也，秦人之围长平也，韩、荆、赵，此三国者之将帅贵人皆多骄矣，其士卒众庶皆多壮矣，因相暴以相杀，脆弱者拜请以避死，其卒递而相食，不辨其义，冀幸以得活。如爱旌目已食而不死矣，恶其义而不肯不死，令此相为谋，岂不远哉？

【译文】

靠富贵拥有支持者容易，靠贫贱拥有支持者就难了。从前晋文公逃亡国外，周游天下，够贫困卑贱的了，而介子推不离开他，因为晋文公有条件拥有他。晋文公回国取得了万乘大国的统治权，介子推却离开了他，因为晋文公丧失了拥有他的条件。在困难时能拥有民众，在统治国家时却不能拥有民众，这是晋文公不能称王于天下的原因。晋文公回国后，介子推不肯接受赏赐，独自赋诗说：“有龙飞腾，飞遍天下。五蛇相随，成为辅佐。龙返故乡，得其归宿。四蛇相随，蒙受恩惠。一蛇含羞，枯死旷野，留书一封，悬于公门，自身远遁，伏藏山下。”文公听到这首诗说：“哎呀！这必定是介子推。”他便退回舍中，更换衣服，对士民百姓发布号令说：“有能找到介子推的人，给他上卿的爵位，田地万亩。”有人在山里遇到了介子推，见他背着锅、戴着斗笠，问他说：“请问介子推在哪里？”他回答说：“介子推如果不想露面而想隐居，我怎能知道他的下落呢？”便转身走了，再没有露面。人心的差异，难道不是太大了吗？当代那些追逐利禄的人，早上朝，晚退朝，说得唇焦喉干，日夜思虑，还是不能得到利禄。如今介子推得到了它，却力图尽快逃避，介子推脱离世俗真是远啊。

东方有个士人，叫爰旌目，将要到某个地方去，却饿倒在路上。狐父地方有个强盗，名叫丘，见到后便拿出水浆和干粮给他，爰旌目吃了好几口后才能看得见，说：“你是干什么的？”丘说：“我是狐父地方的人，名叫丘。”爰旌目说：“啊！你不是强盗吗？为什么给我东西吃？我的原则就是不吃你的食物。”他两手撑在地上呕吐，吐不出来，便喀喀喀地伏在地上死了。郑国人攻下韩国虢地之时，庄蹻入侵楚国郢都，秦国人围困长平，韩、楚、赵这三个国家的将帅及显贵大都很骄傲，其士卒和民众大都很强壮，因而互相侵夺、互相残杀，脆弱的人跪拜请求免遭杀害，最后以致人吃人，根本不分辨什么道义，只希望侥幸活命。像爰旌目吃了东西就不会死，但他憎恶丘假仁假义，甘愿去死，假令这些相互残杀的人同爰旌目一起谋虑问题，岂不是差得太远了吗？

孝　行

【原文】

凡为天下，治国家，必务本而后末。所谓本者，非耕耘种殖之谓，务其人也。务其人，非贫而富之，寡而众之，务其本也。务本莫贵于孝。人主孝，则名章荣，下服听，天下誉；人臣孝，则事君忠，处官廉，临难死；士民孝，则耕芸疾，守战固，不罢北。夫孝，三皇五帝之本务，而万事之纪也。

夫执一术而百善至、百邪去、天下从者，其惟孝也。故论人必先以所亲而后及所疏，必先以所重而后及所轻。今有人于此，行于亲重，而不简慢于轻疏，则是笃谨孝道。先王之所以治天下也。故爱其亲，不敢恶人；敬其亲，不敢慢人。爱敬尽于事亲，光耀加于百姓，究于四海，此天子之孝也。

曾子曰："身者，父母之遗体也。行父母之遗体，敢不敬乎？居处不庄，非孝也；事君不忠，非孝也；莅官不敬，非孝也；朋友不笃，非孝也；战阵无勇，非孝也。五行不遂，灾及乎亲，敢不敬乎？"

《商书》曰："刑三百，罪莫重于不孝。"

曾子曰："先王之所以治天下者五：贵德，贵贵，贵老，敬长，慈幼。此五者，先王之所以定天下也。所谓贵德，为其近于圣也；所谓贵贵，为其近于君也；所谓贵老，为其近于亲也；所谓敬长，为其近于兄也；所谓慈幼，为其近于弟也。”

曾子曰：“父母生之，子弗敢杀；父母置之，子弗敢废；父母全之，子弗敢阙。故舟而不游，道而不径，能全支体，以守宗庙，可谓孝矣。”

养有五道：修宫室，安床第，节饮食，养体之道也；树五色，施五采，列文章，养目之道也；正六律，和五声，杂八音，养耳之道也；熟五谷，烹六畜，和煎调，养口之道也；和颜色，说言语，敬进退，养志之道也。此五者，代进而厚用之，可谓善养矣。

乐正子春下堂而伤足，瘳而数月不出，犹有忧色。门人问之曰：“夫子下堂而伤足，瘳而数月不出，犹有忧色，敢问其故？”乐正子春曰：“善乎而问之；吾闻之曾子，曾子闻之仲尼：父母全而生之，子全而归之，不亏其身，不损其形，可谓孝矣。

君子无行咫步而忘之。余忘孝道，是以忧。”故曰：身者非其私有也，严亲之遗躬也。

民之本教曰孝，其行孝曰养。养可能也，敬为难；敬可能也，安为难；安可能也，卒为难。父母既没，敬行其身，无遗父母恶名，可谓能终矣。仁者，仁此者也；礼者，履此者也；义者，宜此者也；信者，信此者也；强者，强此者也。乐自顺此生也，刑自逆此作也。

【译文】

凡是统治天下，治理国家，必须致力于根本，把末节放在后面。所谓根本，不是说耕耘种植，而是指致力于人的治理。致力于人的治理，不是指使贫穷的人富裕起来，使人口少的多起来，而是指致力于人的根本。致力于根本，没有比孝更加重要的。国君孝，名声就会彰显，臣下服从听命，天下赞誉。臣子孝，就会对国君忠心，为官廉洁，面对困难万死不辞。老百姓孝，就会努力耕耘，战守坚固，不打败仗。孝是三皇五帝的根本大事，是一切事务的纲纪。

掌握了一种原则能使一切善良的东西到来，一切邪恶的东西离去，天下顺从，这原则就只能是孝道。所以评价一个人一定先根据他对亲人的态度，然后考虑到他对疏远者的态度，一定先根据他对重视的人的态度，然后考虑到他对轻视的人的态度。如果有个人对自己的亲人和重视的人恭行孝敬，而对疏远的人和轻视的人也不怠慢，这就是忠厚恭敬地奉行孝道，先王就是用这样的孝道治理天下的。所以友爱自己的亲人，不敢憎恶别人；恭敬自己的亲人，不敢怠慢别人。在侍奉亲人方面极尽友爱恭敬之情，并把荣耀加给老百姓，遍及四海，这是天子的孝道。

曾子说："身体是父母遗传的躯体。运行父母遗传的躯体，敢不慎重吗？起居不端庄，是不孝；侍奉君主不忠心，是不孝；为官不谨慎，是不孝；结交朋友不诚信，是不孝；作战冲锋陷阵不勇敢，是不孝。这五个方面的要求都不能达到，灾祸就会连累到父母，怎敢不慎重呢？"

《商书》上说："刑法有三百条，罪行没有比不孝更严重的。"

曾子说："先王用来治理天下的原则有五条：尊重有道德的人，尊重地位尊贵的人，尊重年老的人，尊敬年长的人，慈爱年幼的人。这五条，是先王用来安定天下的。所谓尊重有道德的人，是因为他们接近于圣人；所谓尊重尊贵的人，是因为他们接近于君主；所谓尊重年老的人，是因为他们接近于父母；所谓尊敬年长的人，是因为他们接近于兄长；所谓慈爱年幼的人，是因为他们接近于子弟。

曾子说："父母生育了自身，儿女不敢毁坏；父母养育了自身，儿女不敢废弃；父母保全了自身，儿女不敢损伤。所以渡水要乘船不要游泳，行路要走正道不走邪径，能保全身体以守护宗庙，可以说是尽孝了。"

赡养父母有五条途径：修建宫室，安顿好床席，调节好饮食，这是保养父母身体的途径；设置五色，敷陈五彩，陈列花纹图案，这是保养父母眼睛的途径；订正六律，调和五声，混合八音，这是保养父母耳朵的途径；蒸熟五谷，烹煮好六畜，调整烹饪方法，这是保养父母口福的途径；面色和悦，言语欢畅，进退恭敬，这是保养父母心志的途径。这五条，交替进行，多多使用，可称得上是会赡养父母了。

乐正子春走下堂屋时扭伤了脚，病好了几个月还不出去，仍然带着忧郁的神情。守门人问他说："先生走下堂屋时扭伤了脚，病好了几个月还不出去，仍然带着忧郁的神情，请问是什么原因？"乐正子春说："你问得好呀。我从曾子那里听说过，曾子又从孔子那里听说过：父母完好地把儿女生下来，儿女就要完好地把身体归还父母，不使身体受到亏损，不使形态受到损害，这可以说是尽孝了。君子不要稍一挪动脚步就忘记它。我忘记了孝道，因此忧郁。"所以说，身体不是自己私有的，而是父母遗传的躯体。

人类的基本教育就叫做孝，奉行孝道就是赡养父母。养活父母可能办到，对父母尊敬就难办到；尊敬父母可能办到，使父母安逸就难办到；使父母安逸可能办到，有始有终就难办到。父母死了以后，慎重地待人处事，不给父母留下恶名，可说是能始终孝敬父母了。所谓仁，就是以此为仁；所谓礼，就是履行这一原则；所谓义，就是以此为适当；所谓信，就是以此为忠信；所谓强，就是以此为强毅。欢乐是由于顺乎孝道而产生的，刑罚是由于违反孝道而施行的。

慎人

【原文】

功名大立，天也。为是故，因不慎其人，不可。夫舜遇尧，天也。舜耕于历山，陶于河滨，钓于雷泽，天下说之，秀士从之，人也。夫禹遇舜，天也；禹周于天下，以求贤者，事利黔首，水潦川泽之湛滞壅塞可通者，禹尽为之，人也。夫汤遇桀，武遇纣，天也；汤、武修身积善为义，以忧苦于民，人也。

舜之耕渔，其贤不肖与为天子同。其未遇时也，以其徒属掘地财，取水利，编蒲苇，结罘网，手足胼胝不居，然后免于冻馁之患。其遇时也，登为天子，贤士归之，万民誉之，丈夫女子，振振殷殷，无不戴说。舜自为诗曰："普天之下，莫非王土；率土之滨，莫非王臣。"所以见尽有之也。尽有之，贤非加也；尽无之，贤非损也。时使然也。

百里奚之未遇时也，亡虢而虏晋，饭牛于秦，传鬻以五羊之皮。公孙枝得而说之，献诸缪公，三日，请属事焉。缪公曰："买之五羊之皮而属事焉，无乃为天下笑乎？"公孙枝对曰："信贤而任之，君之明也；让贤而下之，臣之忠也。君为明君，臣为忠臣，彼信贤，境内将服，敌国且畏，夫谁暇笑哉？"缪公遂用之。谋无不当，举必有功，非加贤也。使百里奚虽贤，无得缪公，必无此名矣。今焉知世之无百里奚哉？故人主之欲求士者，不可不务博也。

孔子穷于陈、蔡之间，七日不尝食，藜羹不糁。宰予备矣，孔子弦歌于室，颜回择菜于外。子路与子贡相与而言曰："夫子逐于鲁，削迹于卫，伐树于宋，穷于陈、蔡。杀夫子者无罪，藉夫子者不禁，夫子弦歌鼓舞，未尝绝音，盖君子之无所丑也若此乎？"颜回无以对，入以告孔子。孔子憱然推琴，喟然而叹曰："由与赐，小人也。召，吾语之。"子路与子贡入。子贡曰："如此者可谓穷矣。"孔子曰："是何言也？君子达于道之谓达，穷于道之谓穷。今丘也拘仁义之道，以遭乱世之患，其所也，何穷之谓？故内省而不疚于道，临难而不失其德。大寒既至，霜雪既降，吾是以知松柏之茂也。昔桓公得之莒，文公得之曹，越王得之会稽。陈、蔡之厄，于丘其幸乎！"孔子烈然返瑟而弦。子路抗然执干而舞。子贡曰："吾不知天之高也，不知地之下也。"古之得道者，穷亦乐，达亦乐。所乐非穷达也，道得于此，则穷达一也，为寒暑风雨之序矣。故许由虞乎颍阳，而共伯得乎共首。

【译文】

建立巨大的功名要靠天数，但因为这个缘故就不慎重地对待人为的因素也是不行的。舜遇上尧，这是天数；但舜在历山耕耘，在黄河边制陶，在雷泽钓鱼，天下的人都喜欢他，德才出众的士人都跟从他，这是人为的因素。禹遇上舜，这是天数；但禹周游天下，访求贤者，凡事有利于百姓，积水、河流、湖泊被淤滞堵塞可以疏通的，禹都尽行疏通，这是人为的因素。商汤遇上夏桀王、周武王遇上商纣王，这是天数；但是商汤和周武王修身积善，履行正义，为百姓忧劳，这是人为的因素。

舜在耕种、捕鱼的时候，他的贤与不贤与做天子时是一样的。当他没有碰上机遇时，他和他的部属们一道挖土、种五谷，引水灌溉，编蒲苇，织罗网，手脚磨起老茧还做个不停，然后才免受冻饿的痛苦。当他遇上机遇时，升为天子，贤士归服他，百姓赞誉他，男男女女，成千上万，无不爱戴他。舜自己作诗说："普天之下，莫不是君王的土地；边境之内，莫不是君王的臣民。"用以表现他完全拥有了天下。完全拥有天下，国君的贤明也不会为之增加，完全失去天下，国君的贤明也不会因而减少，这都是时势造成的。

百里奚还没有遇上机遇时，逃亡虢国，被晋国俘虏，在秦国喂牛，以五张羊皮的身价被出卖。秦国大夫公孙枝得到了他，很高兴，把他献给秦穆公，三天以后，公孙枝请求把国事委托给百里奚，穆公说："买他只花了五张羊皮，却把国家委托给他，不会被天下人笑话吗？"公孙枝回答说："相信贤者而任用他，这是君王的英明；礼让贤者，甘心处于下位，这是臣下的忠诚。把国事交给百里奚，您能成为明君，我能成为忠臣。他如果确实贤能，国内都会服从，敌国也会畏惧，谁还有闲功夫笑话您呢？”穆公于是任用了百里奚。他谋划无不恰当，办事必定成功，他的贤能并没有增加。假若百里奚即使贤能，而得不到秦穆公的重用，必定没有如此的名声。如今怎么知道世上没有百里奚这样的人呢？所以国君想搜罗贤士，不可不力求广泛。

孔子被困在陈国和蔡国之间，七天不曾吃东西，野菜汤中也见不到米粒。他的学生宰予疲惫不堪，而孔子在屋里弹琴唱歌，他的学生颜回在外面择菜。子路与子贡在一块谈论，说：“先生被鲁国驱赶，隐居在卫国，在宋国又被人砍掉借以习礼的大树，还被困在陈国、蔡国之间，要杀先生的人不会有罪，凌辱先生的人不被禁止，先生却又弹又唱又跳，琴声歌声不曾断绝。大概君子就是这样，对什么都不感到羞耻吗？”颜回无话回答，进屋把这话告诉孔子。孔子改变脸色，推开琴，喟然长叹说：“子路和子贡是小人呀，把他们叫来，我有话对他们说。”子路、子贡走进去，子贡说：“像这个样子可说是穷途末路了。”孔子说：“这是什么话？君子的主张能通行天下叫做通达，主张行不通叫做穷困。如今我坚持仁义的主张，而遭到乱世的灾难，本是很自然的，怎么

能说是穷途末路呢？所以我从内心反省，并不为我的主张而感到内疚，面临灾难也不丧失我的德行。严寒到了，霜雪降了，我因此知道松柏的生命力是最旺盛的。从前，齐桓公成就霸业得力于出奔莒国，晋文公成就霸业得力于在曹国受辱，越王勾践成就霸业得力于被围困在会稽山。我在陈国、蔡国之间受困，对于我来说，恐怕是幸运啊！”孔子意气高昂地回到琴边，弹起琴来，子路昂然地拿着盾跳舞。子贡说："我不知天之高，也不知地之厚啊。"古代有道的人，穷困时也快乐，显达时也快乐。快乐的不是因为穷困还是显达，只要他掌握了"道"，那么无论穷困或显达，都是一样的，这就如同寒、暑、风、雨的更替。所以贤者许由会愉快地隐居在颍水之北的冥山，而共伯会悠闲自得地藏匿在共首山上。

察今

【原文】

上胡不法先王之法？非不贤也，为其不可得而法。先王之法，经乎上世而来者也，人或益之，人或损之，胡可得而法？虽人弗损益，犹若不可得而法。东、夏之命，古今之法，言异而典殊。故古之命多不通乎今之言者，今之法多不合乎古之法者。殊俗之民，有似于此。其所为欲同，其所为异，口惽之命不愉，若舟车衣冠滋味声色之不同。人以自是，反以相诽。天下之学者多辩，言利辞倒，不求其实，务以相毁，以胜为故。先王之法，胡可得而法？虽可得，犹若不可法。

凡先王之法，有要于时也，时不与法俱至，法虽今而至，犹若不可法。故择先王之成法，而法其所以为法。先王之所以为法者，何也？先王之所以为法者人也，而己亦人也，故察己则可以知人，察今则可以知古。古今一也，人与我同耳。有道之士，贵以近知远，以今知古，以所见知所不见。故审堂下之阴，而知日月之行，阴阳之变；见瓶水之冰，而知天下之寒，鱼鳖之藏也；尝一脟(luán)肉，而知一镬之味，一鼎之调。

荆人欲袭宋，使人先表澭水。澭水暴益，荆人弗知，循表而夜涉，溺死者千有余人，军惊而坏都舍。向其先表之时可导也，今水已变而益多矣，荆人尚犹循表而导之，此其所以败也。今世之主，法先王之法也，有似于此。其时已与先王之法亏矣，而曰此先王之法也，而法之，此以为治，岂不悲哉？

故治国无法则乱，守法而弗变则悖，悖乱不可以持国。世易时移，变法宜矣。譬之若良医，病万变，药亦万变。病变而药不变，向之寿民，今为殇子矣。故凡举事必循法以动，变法者因时而化。若行之此论则无过务矣。夫不敢议法者，众庶也；以死守法者，有司也；因时变法者，贤主也。是故有天下者七十一圣，其法皆不同。非务相反也，时势异也。故曰良剑期乎断，不期乎镆铘；良马期乎千里，不期乎骥骜。夫成功名者，此先王之千里也。

楚人有涉江者，其剑自舟中坠于水，遽契其

舟，曰："是吾剑之所从坠。"舟止，从其所契者入水求之。舟已行矣，而剑不行，求剑若此，不亦惑乎？以故法为其国与此同。时已徙矣，而法不徙，以此为治，岂不难哉？

有过于江上者，见人方引婴儿而欲投之江中，婴儿啼，人问其故，曰："此其父善游。"其父虽善游，其子岂遽善游哉？以此任物，亦必悖矣。荆国之为政，有似于此。

【译文】

国君为什么不能效法先王的法度呢？并不是先王的法度不好，而是因为它不能被效法。先王的法度，是经过上代流传下来的，有的人增加了它的内容，有的人减损了它的内容，怎么能去效法呢？即使人们不曾对它进行增减，仍然不能效法。东夷和华夏的名称，古代和当今的法度，用语和方法都不同，所以古代的名称很多不能通用在今天的语言里，今天的法度很多不符合古代的法度。风俗不同的人民，就与这种情况有相似之处。正像车、船、衣、帽、口味、声、色不相同一样，他们所想的相同，但所做的却不同，方音太重，人们不会理解。人们都认为自己正确，反过来又相互指责。天下的学者，大多能言善辩，言辞犀利巧诈，却不讲求实际，以相互诋毁为能事，以胜过对方为目的。因此先王的法度，怎么可能去效法呢？即使可能，仍然不可效法。

大凡先王的法度，都是切合时宜的，但古代的时势和法度不可能都流传至今，法度即使流传至今，但时势变了，仍然不可效法。因此，要抛开先王现成的法度，而去效法他们制定法度的根据。先王制定法度的根据是什么呢？他们制定法度的根据是人。而我们自己也是人，所以考察自己就可以了解别人，考察现代就可以了解古代。古代和今天是一致的，别人与自己也是相同的，有“道”之士贵在从切近推知遥远，从现代推知古代，从眼前所看到的推知那些不曾闻见的。所以察看堂屋下面的阴影，就能知道太阳、月亮的运行、阴阳的变化；看到一瓶水结成冰，就能知道天下的寒冷情况、鱼鳖潜藏的情形；尝了一块肉，就能知道一锅肉的味道、一鼎食物的烹调情况。

楚国人想要袭击宋国，派人先在澭水之上插上标记。澭水暴涨，楚国人却不知道，他们顺着标记夜间过河，淹死的人有一千多，军队惊慌，好像都城里的房屋倒塌了一样。在先前做标记的时候，原是可以引导楚军过河的，现在水位已经变化而且涨高了，楚国人还按旧标记引导过河，这就是他们失败的原因。现在的国君，效法先王的法度，和这种情形有相似之处。当时势已与先王的法度不同了，却还认为这是先王的法度而去效法它，用它来治理国家，难道不可悲吗？

所以，治理国家没有法度会引起混乱，但是墨守成规不加变通也是错误的，错误和混乱都不可能用来治理国家。社会改变了，时势更不同了，变通法度是应该的。这如同好的医生，病情千变万化，用药也随之千变万化。病情变化了而药方不变，原来一个能够长寿的人，现在也要成为短命的人了。所以凡是办事必须依法行动，变更法度的人又要顺应时势而变化。能够按照这个观点做，就不会有失误的事了。不敢议论法度的，是广大老百姓；拼死维护法度的，是相关部门官吏；顺应时势而变更法度的，是贤君。所以古代统治天下的七十一位圣王，他们的法度都不同，不是他们务求标新立异，而是因为时势不同了。所以说，对好剑要求它能砍断东西，不要求它一定是“镆铘宝剑”；对好马要求它能日行千里，不要求它一定是“骥骜骏马”。能够成就功名的，这就是先王的千里马。

楚国有个坐船过江的人,他的剑从船上掉到江里。他立即在船边刻了个记号,说:“这里是我的剑掉下水的地方。”当船停下了,他就从刻有记号的船边下水去找剑。船已经行驶了,而掉下水的剑却在原地不动,像这样找剑,不也太糊涂了吗?用旧的法度治理自己的国家,和这个楚国人一样。时势已经变化了,法度却不变,照此进行治理,岂不太难了吗?

有个从江边经过的人,看见一个人正拉着一个小孩,想要把他丢到江中去,小孩啼哭。人们问他要把小孩丢进江中去的原因,他说:“这个小孩的父亲会游泳。”小孩的父亲即使会游泳,他的儿子难道就马上会游泳吗?用这种态度去处理事物,必定犯错误。楚国处理政事,和这种情况也有相似之处。

乐　成

【原文】

大智不形，大器晚成，大音希声。

禹之决江水也，民聚瓦砾。事已成，功已立，为万世利。禹之所见者远也，而民莫之知，故民不可与虑化举始，而可以乐成功。

孔子始用于鲁。鲁人鹥诵之曰："麛裘而韠，投之无戾；韠而麛裘，投之无邮。"用三年，男子行乎涂右，女子行乎涂左，财物之遗者，民莫之举。大智之用，固难逾也。

子产始治郑，使田有封洫，都鄙有服。民相与诵之曰："我有田畴，而子产赋之。我有衣冠，而子产贮之。孰杀子产，吾其与之。"后三年，民又诵之曰："我有田畴，而子产殖之。我有子弟，而子产诲之。子产若死，其使谁嗣之？"

使郑简、鲁定当民之诽訾也，而因弗遂用，则国必无功矣，子产、孔子必无能矣。非徒不能也，虽罪施，于民可也。今世皆称简公、哀公为贤，称子产、孔子为能。此二君者，达乎任人也。

舟车之始见也，三世然后安之。夫开善岂易哉？故听无事治。治之立也，人主贤也。

魏攻中山，乐羊将。已得中山，还反报文侯，有贵功之色。文侯知之，命主书曰："群臣宾客所献书者，操以进之。"主书举两箧以进。令将军视之，书尽难攻中山之事也。将军还走，北面再拜曰："中山之举，非臣之力，君之功也。"当此时也，论士殆之日几矣，中山之不取也，奚宜二箧哉？一寸而亡矣。文侯，贤主也，而犹若此，又况于中主邪？中主之患，不能勿为，而不可与莫为。凡举无易之事，气志视听动作无非是者，人臣且孰敢以非是邪疑为哉？皆壹于为，则无败事矣。此汤、武之所以大立功于夏、商，而勾践之所以能报其仇也。以小弱皆壹于为而犹若此，又况于以强大乎？

魏襄王与群臣饮，酒酣，王为群臣祝，令群臣皆得志。史起兴而对曰："群臣或贤或不肖，贤者得志则可，不肖者得志则不可。"王曰："皆如西门豹之为人臣也。"史起对曰："魏氏之行田也以百

亩，邺独二百亩，是田恶也。漳水在其旁而西门豹弗知用，是其愚也。知而弗言，是不忠也。愚与不忠，不可效也。”魏王无以应之。明日，召史起而问焉，曰：“漳水犹可以灌邺田乎？”史起对曰：“可。”王曰：“子何不为寡人为之？”史起曰：“臣恐王之不能为也。”王曰：“子诚能为寡人为之，寡人尽听子矣。”史起敬诺，言之于王曰：“臣为之，民必大怨臣。大者死，其次乃藉臣。臣虽死藉，愿王之使他人遂之也。”王曰：“诺。”使之为邺令。史起因往为之。邺民大怨，欲藉史起。史起不敢出而避之。王乃使他人遂为之。水已行，民大得其利，相与歌之曰：“邺有圣令，时为史公，决漳水，灌邺旁，终古斥卤，生之稻粱。”使民知可与不可，则无所用矣。贤主忠臣，不能导愚教陋，则名不冠后、实不及世矣。史起非不知化也，以忠于主也。魏襄王可谓能决善矣。诚能决善，众虽喧哗，而弗为变。功之难立也，其必由訩訩邪。国之残亡，亦犹此也。故訩訩之中，不可不味也。中主以之訩訩也止善，贤主以之訩訩也立功。

【译文】

大的智慧不显露于外，大的器物很长时间才能制成，美的音乐听来似乎无声。

夏禹疏通河道的时候，百姓都堆聚瓦石来阻止。当疏通河道的事业已经完成，功绩已经建立了，便给子孙万代带来了利益。夏禹预见的久远，而百姓无人了解。所以不能同百姓一道考虑日后事情的变化以及开创新的事业，但可以和他们共享成功的欢乐。

孔子当初在鲁国参政时，鲁国人背后埋怨地唱道："穿上鹿皮裘却配以朝服上的蔽膝，扔掉它也没罪过；戴着朝服上的蔽膝却配以鹿皮裘，扔掉它也没过错。"孔子在鲁国参政三年，男子靠路的右边行走，女子靠路的左边行走，秩序井然，丢失的财物，百姓不去拾取。最高智慧的运用，本来就难以被人理解。

子产最初治理郑国时，使田土有界沟，都市和郊野有等级分明的服饰。百姓彼此埋怨地唱道："我们有田地，子产却划分疆界，征收赋税；我们有华丽的衣帽，子产加以封禁，贮藏起来。谁要杀掉子产，我将同他一起干。"三年以后，百姓又唱道："我们有田地，而子产助我栽种；我们有子弟，而子产助我教诲。子产如果死了，将让谁接替他呢？"

假使郑简公、鲁定公在百姓诋毁子产和孔子时不再重用他们，那么国家必将没有什么成就，子产和孔子必定不能有所作为。他们不仅不能有所作为，即使对他们施加罪罚，百姓也是同意的。当代都称道郑简公、鲁定公为贤君，称道子产、孔子为能人，郑简公、鲁定公这两个国君，是很懂得用人之道啊。从车船刚刚出现，过了几代以后才习惯。开创好的局面难道容易吗？所以君主只要听信贤臣的意见，不必亲自去治理国家。治理国事的基础，在于君主的贤明。

魏国攻打中山国时，乐羊是主帅，攻下了中山国，乐羊回报魏文侯，有夸耀功劳的神色。魏文侯了解到这点，命令掌管书信的主书官说："群臣和宾客所上的书信，把它拿来。"主书官抬上两箱书信，魏文侯要乐羊看，书信中尽是非议攻打中山国之事的。乐羊转身退下，朝北一再拜谢说："攻克中山国之举，并不是由于我的能力，而是国君的功劳。"在当时，议论的人对于这件事的危害已感到日甚一日，如果听信他们的话，不去攻打中山国，哪里还用得上两箱书信呢？恐怕只要方寸的书牍就能中止这一行动。魏文侯是个贤君，他尚且如此，又何况平庸的君主呢？平庸君主的祸患，就在于不能做到无为，也不能做到中途不变卦。凡是做一件始终不变的事情，若君主在气度、思想、视听、行动上做到不否定这一举动，保持初衷，那么臣子谁敢非议，谁敢猜疑呢？上下都统一行动，就不会有失败的事了。这是商汤王、周武王能建立大功、勾践能灭掉吴国而报亡国之仇的原因。凭借弱小势力，只要上下都能像这样统一行动，尚可成功，又何况凭借强大的势力呢？

魏襄王与群臣一起饮酒，酒意正浓时，魏襄王给群臣祝酒，希望群臣都能得志。史起站起来回答说："群臣有的贤德有的不贤，贤德的人得志是可以的，不贤的人得志却不行。"魏襄王说："都像西门豹那样做臣子吧。"史起回答说："魏国划分田地以一百亩为单位，而邺地以二百亩为单位，这是因为那里田地不佳。漳水就在邺地附近，而西门豹不知道利用，这是他的愚蠢；明明知道却不说，这是不忠；愚蠢和不忠是不可效法的。"魏襄王无话可答，第二天把史起召来问他，说："漳水还可以灌溉邺地的田地吗？"史起回答说："可以。"魏襄王说："你为什么不替我办这件事呢？"史起说："我恐怕您不能够办到。"魏襄王说："你果真能替我办这事，我全听你的。"史起郑重地答应了，并且向襄王陈述自己的想法，说："我用漳水灌溉邺地的田地，百姓必然非常怨恨我。重则处死我，其次就是凌辱我。我即使被处死或被凌辱，也希望国王派别人完成我的计划。"魏襄王说："行。"于是派史起为邺地的守令。史起便到邺地兴办引漳灌邺的工程。邺地的百姓十分怨恨，企图凌辱史起。史起不敢露面而躲藏起来，魏襄王便派另外的人完成引漳灌邺的工程。水已开通了，百姓得到了引漳灌邺的巨大好处，相互歌颂史起说："邺地有个圣德的守令，他就是史大人，挖开漳水，灌溉邺地附近田垅，消灭了昔日的盐碱地，长出了稻子和高粱。"假使百姓都知道什么可以和不可以，就没有必要任用圣智的人了。贤君和忠臣，如果不能开导愚蠢的人，教育浅陋的人，他们的名声就不能显扬于后代，实惠就不能普及于当代。史起并非不知道事态的变化，因为他忠于国君才去冒险。魏襄王可说是个能够决断好歹的人了。果真能够决断好歹，众人即使喧哗一时也不会为之改变。功业之难以建立，必定是因为众口喧哗吧。国家的残破灭亡，也是如此。所以在众口喧哗声中，不可不认真体味。平庸的国君由于众口喧哗而中止办好事，贤君则由于众口喧哗而建立功业。

察微

【原文】

使治乱存亡若高山之与深溪，若白垩之与黑漆，则无所用智，虽愚犹可矣。且治乱存亡则不然，如可知，如可不知；如可见，如可不见。故智士贤者相与积心愁虑以求之，犹尚有管叔、蔡叔之事与东夷八国不听之谋。故治乱存亡，其始若秋毫。察其秋毫，则大物不过矣。

鲁国之法，鲁人为人臣妾于诸侯，有能赎之者，取其金于府。子贡赎鲁人于诸侯，来而让，不取其金。孔子曰："赐失之矣。自今以往，鲁人不赎人矣。取其金则无损于行，不取其金则不复赎人矣。"子路拯溺者，其人拜之以牛，子路受之。孔子曰："鲁人必拯溺者矣。"孔子见之以细，观化远也。

楚之边邑曰卑梁，其处女与吴之边邑处女桑于境上，戏而伤卑梁之处女。卑梁人操其伤子以让吴人，吴人应之不恭，怒，杀而去之。吴人往报之，尽屠其家。卑梁公怒，曰："吴人焉敢攻吾邑？"举兵反攻之，老弱尽杀之矣。吴王夷昧闻之，怒，使人举兵侵楚之边邑，克夷而后去之。吴、楚以此大隆。吴公子光又率师与楚人战于鸡父，大败楚人，获其帅潘子臣、小帷子、陈夏啮。又反伐郢，得荆平王之夫人以归，实为鸡父之战。凡持国，太上知始，其次知终，其次知中。三者不能，国必危，身必穷。《孝经》曰："高而不危，所以长守贵也；满而不溢，所以长守富也。富贵不离其身，然后能保其社稷，而和其民人。"楚不能之也。

郑公子归生率师伐宋。宋华元率师应之大棘，羊斟御。明日将战，华元杀羊飨士，羊斟不与焉。明日战，怒谓华元曰："昨日之事，子为制；今日之事，我为制。"遂驱入于郑师。宋师败绩，华元虏。夫弩机差以米则不发。战，大机也。飨士而忘其御也，将以此败而为虏，岂不宜哉？故凡战必悉熟偏备，知彼知己，然后可也。

鲁季氏与郈氏斗鸡。郈氏介其鸡，季氏为之金距。季氏之鸡不胜，季平子怒，因侵郈氏之宫而益其宅。郈昭伯怒，伤之于昭公，曰："禘于襄公之庙也，舞者二人而已，其余尽舞于季氏。季氏之舞道，无上久矣。弗诛必危社稷。"公怒，不审，乃使郈昭伯将师徒以攻季氏，遂入其宫。仲孙氏、叔孙氏相与谋曰："无季氏，则吾族也死亡无日矣。"遂起甲以往，陷西北隅以入之，三家为一，郈昭伯不胜而死。昭公惧，遂出奔齐，卒于乾侯。鲁昭听伤而不辩其义，惧以鲁国不胜季氏，而不知仲、叔氏之恐，而与季氏同患也。是不达

乎人心也。不达乎人心，位虽尊，何益于安也？以鲁国恐不胜一季氏，况于三季？同恶固相助。权物若此其过也。非独仲、叔氏也，鲁国皆恐。鲁国皆恐，则是与一国为敌也，其得至乾侯而卒犹远。

【译文】

假使治与乱、存与亡的区别像高山与深谷、白土与黑漆那样明显，就没有什么必要任用圣智的人，即使愚笨的人也是可以辨明的。况且治乱存亡的区别并不是这样，它似乎可以知道，又似乎不可知道，似乎可以预见，又似乎不可预见。所以智士、贤人都处心积虑地探求它，即使如此，尚且还出现有管叔、蔡叔叛乱的事件和东夷八国不服从的阴谋。所以治乱存亡，它开始细如秋毫，如果能考察它的秋毫之处，那么大事就不会有过失了。

鲁国的法律是，鲁国人给其他诸侯国做臣仆婢妾，有能够赎回他们的，可以在国库中领取赎金。子贡从诸侯那儿赎回了鲁国人，回来后却谦让不去领取赎金。孔子说："子贡错了啊。从今以后，鲁国人不会去赎回人了。领取赎金对德行没有损害，而不领取赎金就不会再有人去赎回人了。"当子路救了落水的人，那人用牛来酬谢他，子路接受了。孔子说："鲁国人必然会拯救落水的人了。"孔子从细微处观察事物，对其变化趋势观察得深远。

楚国的一个边邑叫卑梁，那儿的姑娘同吴国的姑娘在边境上采桑，因开玩笑吴国姑娘弄伤了卑梁的姑娘。卑梁人带着那受伤的姑娘责问吴国人，吴国人回答得不礼貌，卑梁人愤怒地杀了那吴国人便离去了。吴国人前去报复，把那个卑梁人一家全杀了。卑梁的长官发怒，说："吴国人怎敢袭击我的城邑？"他进兵反攻吴国，连老人、小孩

全都杀了。吴王夷昧听了此事很愤怒，派人带兵入侵楚国边界，攻占了夷地后离去。吴国和楚国因此而大肆争斗。吴公子光又率军与楚国人在鸡父交战，把楚国人打得大败，俘虏了楚帅潘子臣、小帷子、陈夏啮，又回师攻打楚国的郢都，捉到了楚平王的夫人才撤回，史称为“鸡父之战”。凡是管理国家，最重要的是知道事物的起因，其次是知道事物的结局，再次是知道事物发展的中间环节。若三者都不能了解，国家必定危险，自身必定穷困。《孝经》上说：“身居高位而不危险，这是长久保持尊贵的途径；盈满而不溢出，这是长久保持富足的途径。富贵不离自身，然后才能保住自己的国家，使人民和乐。”楚国却不能够做到。

郑公子归生率军攻打宋国。宋国的华元率军在大棘应战，羊斟给华元驾车。第二天将要交战，华元杀羊慰劳将士，羊斟却没有享受到。第二天交战时，羊斟愤怒地对华元说：“昨天的事，由你掌握；今天的事，由我掌握。”于是他驾车投奔郑军阵地。宋军一败涂地，华元当了俘虏。射箭的弩机相差一粒米的距离就不能发射，战争也如同一部巨大的弩机。慰劳将士却忘了自己的驾车人，将帅因此吃败仗当俘虏，难道不是应该的吗？所以凡是作战，必须全面熟悉指战人员包括小兵小将，了解对方也了解自己，然后才可以交战。

鲁国的季氏与郈氏斗鸡，郈氏给他的鸡穿上铠甲，季氏给他的鸡装上铁爪。季氏的鸡斗不赢。季平子恼怒了，于是侵占郈氏的宫室，增修自己的住宅。郈昭伯也恼怒了，在鲁昭公面前中伤季氏说："在鲁襄公的庙里祭祀时，舞蹈的人只有二人而已，其余的都给季氏跳舞去了。季氏的舞乐规格，僭越国君为时已很久了，不杀掉他必然危及国家。"昭公愤怒，不加审察，就派郈昭伯带着军队攻打季氏，于是攻入季氏宫内。鲁国另外的两个大夫仲孙氏和叔孙氏相互谋划说："没有季氏，我们家族的灭亡也就没有多久了。"于是出兵前往，攻陷西北角，进入季氏宫中，三家合成一体，郈昭伯不能取胜而灭亡。鲁昭公害怕了，便出奔齐国，死在乾侯。鲁昭公听人中伤却不分辨其正确与否，只是担心鲁国不能战胜季氏，却不知道仲孙氏和叔孙氏也有所恐惧，而与季氏患难与共，这是不能透彻了解人的内心。对人心不能透彻了解，地位即使尊贵，对于安定又有什么益处呢？依靠鲁国尚且担心不能战胜一个季氏，何况三个季氏呢？好恶相同之人本来就是互相帮助的。鲁昭公如此权衡事物是错误的。不仅仲孙氏和叔孙氏感到害怕，整个鲁国都会感到害怕。整个鲁国都感到害怕，就是与一国为敌，鲁昭公能逃到乾侯才死，还算是走得远的。

审　分

【原文】

凡人主必审分，然后治可以至，奸伪邪辟之途可以息，恶气苛疾无自至。夫治身与治国，一理之术也。今以众地者，公作则迟，有所匿其力也；分地则速，无所匿迟也。主亦有地，臣主同地，则臣有所匿其邪矣，主无所避其累矣。

凡为善难，任善易。奚以知之？人与骥俱走，则人不胜骥矣；居于车上而任骥，则骥不胜人矣。人主好治人官之事，则是与骥俱走也，必多所不及矣。夫人主亦有居车；无去车，则众善皆尽力竭能矣，谄谀诐贼巧佞之人无所窜其奸矣，坚穷廉直忠敦之士毕竞劝骋骛矣。人主之车，所以乘物也。察乘物之理，则四极可有。不知乘物而自怙恃，奋其智能，多其教诏，而好自以；若此则百官恫扰，少长相越，万邪并起，权威分移，不可以卒，不可以教，此亡国之风也。

王良之所以使马者，约审之以控其辔，而四马莫敢不尽力。有道之主，其所以使群臣者亦有辔。其辔何如？正名审分，是治之辔已。故按其实而审其名，以求其情；听其言而察其类，无使放悖。夫名多不当其实、而事多不当其用者，故人主不可以不审名分也。不审名分，是恶壅而愈塞也。壅塞之任，不在臣下，在于人主。尧、舜之臣不独义，汤、禹之臣不独忠，得其数也；桀、纣之臣不独鄙，幽、厉之臣不独辟，失其理也。

今有人于此，求牛则名马，求马则名牛，所求必不得矣；而因用威怒，有司必诽怨矣，牛马必扰乱矣。百官，众有司也；万物，群牛马也。不正其名，不分其职，而数用刑罚，乱莫大焉。夫说以智通，而实以过悗；誉以高贤，而充以卑下；赞以洁白，而随以污德；任以公法，而处以贪枉；用以勇敢，而堙以罢怯。此五者，皆以牛为马、以马为牛，名不正也。故名不正，则人主忧劳勤苦，而官职烦乱悖逆矣。国之亡也，名之伤也，从此生矣。白之顾益黑、求之愈不得者，其此义邪！

故至治之务，在于正名。名正则人主不忧劳矣，不忧劳则不伤其耳目之生。问而不诏，知而不为，和而不矜，成而不处。止者不行，行者不止，因形而任之，不制于物，无肯为使，清静以公，神通乎六合，德耀乎海外，意观乎无穷，誉流乎无止，此之谓定性于大湫，命之曰无有。故得道忘人，乃大得人也，夫其非道也；知德忘知，乃大得知也，夫其非德也；至知不几，静乃明几也，夫其不明也；大明不小事，假乃理事也，夫其不假也；莫人不能，全乃备能也，夫其不全也。是故于全乎去能，于

假乎去事，于知乎去几，所知者妙矣。若此则能顺其天，意气得游乎寂寞之宇矣，形性得安乎自然之所矣。全乎万物而不宰，泽被天下而莫知其所自姓，虽不备五者，其好之者是也。

【译文】

大凡国君必须审定君臣上下的职分，然后太平治世才可以出现。奸诈邪僻之道才可以止灭，恶气和疾病才无从产生。治理自身和治理国家，是同一个道理。如果靠众人共同治理土地，耕作速度就慢，因为有不出力的；分地耕作速度就快，因为没有办法不出力。君主也有“地”，臣子和君主共同来治理这些“地”，臣子就有机会掩藏他们的私心邪念，而君主却无法逃避自身的劳累。

大凡做好事困难，任用好人容易。凭什么知道是这样呢？人和骏马一起奔跑，人就跑不过骏马；人坐在车上驱赶骏马，骏马就跑不过人了。君主喜欢管臣下分内的事，这就等于同骏马一起奔跑，必然有很多事顾不上。君主也有他坐的“车”，不离开这个“车”，那么众多的好人就会竭尽能力了，阿谀奉承、巧言令色的人就无法掩藏他们的奸诈行为了，刚毅、老实、廉洁、正直、忠厚的人都会争相卖力为君主奔走了。君主的“车”，是用来载物的。明察载物的道理，普天之下就都可以拥有了。不懂得载物的道理却刚愎自用，卖弄自己的智能，教令繁多，喜好自以为是；如果这样，百官就会恐惧扰乱，老少就会彼此超越本分，各种邪恶都会发生，权威分散转移，不可阻止，不可教化，这是亡国的风气。

王良会驾驭马的方法，是因为以谨慎的态度控制缰绳，因而四匹马不敢不尽力。有道德的君主，他用来驱使群臣的也有“缰绳”。这个

“缰绳”是什么呢？即端正名分、审定职分，这就是治理国家的“缰绳”。所以按照实际来审定名分，以求得实情；倾听他们的言论，考察他们的属类，不要使名分与实际、言论与等类相悖逆。名分大多与实际不符，而事物也大多不切实用，所以君主不可不审定名分啊。不审定名分，这是害怕君臣之道壅塞，而实际上更加壅塞。君臣之道壅塞的责任，不在臣子，而在君主。尧、舜的臣子不全是仁义的，汤、禹的臣子也不全是忠诚的，而是由于尧、舜、汤、禹管理得法。夏桀王、商纣王的臣子不全是卑鄙的，周幽王、周厉王的臣子不全是邪僻的，而是由于对他们管理不得法。

如果这里有个人，求牛却呼唤马，求马却呼唤牛，他所企求的肯定得不到；于是运用威慑发怒的手段，那么百官必定会非议、怨恨，连牛马也定将遭到骚扰。百官，就是各类官员；万物，如同一群牛马。不端正应有的名分，不分清具体的职责，却频繁地使用刑罚，祸乱没有比这更大的了。你喜欢聪明通达么，实际上却变得愚昧昏惑；你称誉高雅贤能么，实际上却变得卑鄙下流；你赞美廉洁么，却率相贪婪成性；你责成执行公法么，对付的却是贪赃枉法；你凭借勇敢么，人们却以疲乏怯懦来搪塞。这五种情况，都等于是把牛当成了马，把马当成了牛，这都是由于名分不端正的缘故。所以名分不端正，君主就会忧愁劳苦，而百官的职分就繁杂混乱，矛盾百出。国家的灭亡，名誉的损伤，从此产生了。想使它白反而更黑，追求它却越不能得到，恐怕就是这个道理。所以使国家大治的要务，在于端正名分。名分端正了，君主就不致忧愁劳苦。不忧愁劳苦，就不会伤害他的耳目的天性了。只需询问下情而不必教导臣下，知道该怎么做而不必亲自去做，平心静气阐明见解却不自我夸耀，获得成功却不居功自傲。静止的就不要使它运动，运动的就不要使它静止，依照法则来使用万物，不为万物所牵制，不肯为别人所役使，清静无为，公正无私，精神通达于天地四方，美德照耀于四海，意念体察得无限深远，美誉无休无止地流传，这就叫做把自己的天性寄托在广大的空间，叫它做“无有”。所以得“道”的人思无邪念就忘乎人事，这就能得到人们巨大的信任，这岂不就是“道”吗？懂得稽考万物之理而忘乎智巧，就是得到最大的智慧，这岂不是“德”吗？智慧超凡的人不苛察，安然观察，就能明察秋毫，这岂不就是“明”吗？大聪明人不理小事，助长万物就是理了小事，这岂不就是助长万物了吗？清静无为的人不显露才能，保全天性就具备了才能，这岂不是全德之人吗？所以要达到全德的境界在于舍弃才能，要助长万物，在于舍弃具体事务，要达到大智的境界在于不用苛察，了解这些诀窍是很微妙的。如能这样，就能顺其自然，意志和精气能在寂寞的宇宙之中遨游，形体和本性能在自然之中安然无恙了。保全万物而不主宰万物，恩泽覆盖天下却无人知道来自何人，即使不具备这五项，但能追慕喜好，也就差不多了。

不二

【原文】

听众人之议以治国，国危无日矣。何以知其然也？老耽贵柔，孔子贵仁，墨翟贵廉，关尹贵清，子列子贵虚，陈骈贵齐，阳生贵己，孙膑贵势，王廖贵先，儿良贵后。

有金鼓，所以一耳也；必同法令，所以一心也；智者不得巧，愚者不得拙，所以一众也；勇者不得先，惧者不得后，所以一力也。故一则治，异则乱；一则安，异则危。夫能齐万不同，愚智工拙皆尽力竭能，如出乎一穴者，其唯圣人矣乎！无术之智，不教之能，而恃强速贯习，不足以成也。

【译文】

听从众人的议论来治理国家，国家危亡指日可待了。凭什么知道会是这样呢？老子以柔为贵，孔子以仁为贵，墨子以不贪为贵，关尹以清静为贵，列子以虚无为贵，陈骈以齐生死、等古今为贵，杨朱以自我为贵，孙膑以权势为贵，王廖以先发制人为贵，儿良以后发制人为贵。

设置金鼓为的是统一人们的听闻；统一法令为的是统一人心；聪明的人不得玩弄巧诈，愚蠢的人也不会显露笨拙，为的是对众人一视同仁；勇敢的人不得争先，胆怯的人不会落后，为的是统一人们的力量。所以统一就能治理好，分离就混乱；统一就安宁，分离就危险。能够使万物整齐划一。愚蠢、聪明、灵巧、笨拙的都竭尽能力，好像出自一个孔穴里，这恐怕只有圣人能做得到吧！不讲方法，只是玩弄智巧；不遵循教令，一味逞能，这样做，想要靠国家强盛，使功业速成，人们习惯于安分守法，是不能够实现的。

执　一

【原文】

天地阴阳不革，而成万物不同。目不失其明，而见白黑之殊。耳不失其聪，而闻清浊之声。王者执一，而为万物正。军必有将，所以一之也；国必有君，所以一之也；天下必有天子，所以一之也；天子必执一，所以抟之也。一则治，两则乱。今御骊马者，使四人人操一策，则不可以出于门闾者，不一也。

楚王问为国于詹子。詹子对曰："何闻为身，不闻为国。"詹子岂以国可无为哉？以为为国之本在于为身。身为而家为，家为而国为，国为而天下为。故曰以身为家，以家为国，以国为天下。此四者，异位同本。故圣人之事，广之则极宇宙、穷日月，约之则无出乎身者也。慈亲不能传于子，忠臣不能入于君，唯有其材者为近之。

田骈以道术说齐。齐王应之曰："寡人所有者齐国也，愿闻齐国之政。"田骈对曰："臣之言，无政而可以得政。譬之若林木，无材而可以得材。愿王之自取齐国之政也。骈犹浅言之也。博言之，岂独齐国之政哉？"变化应来而皆有章，因性任物而莫不宜当，彭祖以寿，三代以昌，五帝以昭，神农以鸿。

吴起谓商文曰："事君果有命矣夫！"商文曰："何谓也？"吴起曰："治四境之内，成训教，变习俗，使君臣有义，父子有序，子与我孰贤？"商文曰："吾不若子。"曰："今日置质为臣，其主安重；今日释玺辞官，其主安轻。子与我孰贤？"商文曰："吾不若子。"曰："士马成列，马与人敌，人在马前，援桴一鼓，使三军之士乐死若生，子与我孰贤？"商文曰："吾不若子。"吴起曰："三者，子皆不吾若也，位则在吾上，命也夫事君！"商文曰："善。子问我，我亦问子。世变主少，群臣相疑，黔首不定，属之子乎？属之我乎？"吴起默然不对。少选曰："与子。"商文曰："是吾所以加于子之上已。"吴起见其所以长，而不见其所以短；知其所以贤，而不知其所以不肖。故胜于西河，而困于王错，倾造大难，身不得死焉。

夫吴胜于齐，而不胜于越；齐胜于宋，而不胜于燕。故凡能全国完身者，其唯知长短赢绌之化邪。

【译文】

天地阴阳的规律不变，因而形成了万物的差别。眼睛不丧失视力，因而能看到黑白的差别；耳朵不丧失听力，因而能听到清脆、浑浊的不同声音。帝王把握着为君之道，因而能成为万物的主宰。军队必须有主将，靠他来统一军队；国家必须有君主，靠他来统一国家；天下必须有天子，靠他来统一天下；天子必须把握着“道”，用它来团结天下人民。权力集中就能治理好，权力分散就会混乱。如果驱赶并排拉车的两匹马，让四个人每人拿着一根鞭子，就不可能把马赶出闾门，因为赶马的人行动不一致。

楚顷襄王向隐士詹何询问治国的方法，詹何回答说：“我只听说过治理自身，没有听说过治理国家。”詹何难道认为国家可以不加治理吗？他是认为治国之本在于治理自身，自身治理好了就能把家庭治理好，家庭治理好了就能把国家治理好，国家治理好了就能把天下治理好。所以说以治身的原则治理家庭，以治家的原则治理国家，以治国的原则治理天下。自身、家庭、国家、天下这四者，层次不同，但根本是相同的。所以圣人的事业，推广开来就可以达到宇宙，囊括日月，归根结底却没有超出他自身。这种方法，仁慈的父母不能留传给儿子，忠臣不能进献给国君，只是具有才能的人才可以接近掌握它。

田骈以治理天下的道术游说齐国，齐王回答他说：“我所拥有的是齐国，愿意听您谈论如何管理齐国的政事。”田骈回答说：“我的理论，虽然无关乎政治，但可以得知政事。好比树木，没有成材可以加工成材。希望您自己从中悟出如何治理齐国的政事吧。我只是浅显地说说。如果推广言之，难道仅只是齐国的政事吗？万物都是变化顺应而来的，都有一定的条理，顺应天性利用万物，就没有不恰当的，彭祖因此而长寿，夏、商、周三代因此而昌盛，黄帝、颛顼、帝喾、尧、舜五帝因此而扬名，神农因此而伟大。”

吴起对商文说：“服侍国君果真有运气啊！”商文说：“指什么而言呢？”吴起说：“治理整个国家，使全国人民驯服听从教令，改变习俗，使君臣之间有道义，父子之间尊卑有序，你和我哪个强呢？”商文说：

"我不如你。"吴起说:"如果今天我委身为臣,君主就被天下所看重;如果今天我挂印辞官,君主就被天下所看轻,这方面你和我哪个强呢?"商文说:"我不如你。"吴起说:"将士战马摆成阵列,马与人相搭配,人在马前,拿起鼓棰擂响战鼓,使三军将士乐于死如同乐于生,在这方面你和我哪个强呢?"商文说:"我不如你。"吴起说:"这三方面你都不如我,而地位却在我之上,服侍国君真是有运气啊!"商文说:"说得好啊。你问我,我也问问你。世道变乱,国君年幼,群臣彼此猜疑,百姓不安定,在这个时候,把重任托付给你呢,还是托付给我呢?"吴起默然无言以对,过了一会儿才说:"托付给你。"商文说:"这就是因为我处的官位居于你之上的原因。"吴起只看到自己长处,看不到自己短处,只知道自己的优点,看不到自己的缺点,所以他能够在西河打胜仗,却受困于奸臣王错,不久就遭大难,自身不得好死。

吴国能战胜齐国,却不能战胜越国。齐国战胜了宋国,却不能战胜燕国。所以凡是能够保全国家和自身的人,只是由于懂得了自己的长处、短处、盈余、不足的变化吧。

精　谕

【原文】

圣人相谕不待言，有先言言者也。

海上之人有好蜻者，每朝居海上，从蜻游，蜻之至者，百数而不止，前后左右尽蜻也，终日玩之而不去。其父告之曰："闻蜻皆从女居，取而来，吾将玩之。"明日之海上，而蜻无至者矣。

胜书说周公旦曰："廷小人众，徐言则不闻，疾言则人知之，徐言乎？疾言乎？"周公旦曰："徐言。"胜书曰："有事于此，而精言之而不明，勿言之而不成，精言乎？勿言乎？"周公旦曰："勿言。"故胜书能以不言说，而周公旦能以不言听，此之谓不言之听。不言之谋，不闻之事，殷虽恶周，不能疵矣。口昬(wěn)不言，以精相告，纣虽多心，弗能知矣。目视于无形，耳听于无声，商闻虽众，弗能窥矣。同恶同好，志皆有欲，虽为天子，弗能离矣。

孔子见温伯雪子，不言而出。子贡曰："夫子之欲见温伯雪子好矣，今也见之而不言，其故何也？”孔子曰：“若夫人者，目击而道存矣，不可以容声矣。”故未见其人而知其志，见其人而心与志皆见，天符同也。圣人之相知，岂待言哉？

白公问于孔子曰：“人可与微言乎？”孔子不应。白公曰：“若以石投水，奚若？”孔子曰：“没人能取之。”白公曰：“若以水投水，奚若？”孔子曰：“淄、渑之合者，易牙尝而知之。”白公曰：“然则人不可与微言乎？”孔子曰：“胡为不可？唯知言之谓者为可耳。”白公弗得也。知谓则不以言矣。言者谓之属也。求鱼者濡，争兽者趋，非乐之也。故至言去言，至为无为。浅智者之所争则末矣。此白公之所以死于法室。

齐桓公合诸侯，卫人后至。公朝而与管仲谋伐卫，退朝而入，卫姬望见君，下堂再拜，请卫君之罪。公曰：“吾于卫无故，子曷为请？”对曰：“妾望君之入也，足高气强，有伐国之志也，见妾而有动色，伐卫也。”明日公朝，揖管仲而进之。管仲曰：“君舍卫乎？”公曰：“仲父安识之？”管仲曰：“君之揖朝也恭，而言也徐，见臣而有惭色，臣是以知之。”君曰：“善。仲父治外，夫人治内，寡人知终不为诸侯笑矣。”桓公之所以匿者不言也，今管子乃以容貌音声，夫人乃以行步气志，桓公虽不言，若暗夜而烛燎也。

晋襄公使人于周曰：“弊邑寡君寝疾，卜以守龟曰：‘三涂为祟。’弊邑寡君使下臣愿藉途而祈福焉。”天子许之。朝，礼使者事毕，客出。苌弘谓刘康公曰：“夫祈福于三涂，而受礼于天子，此柔嘉之事也，而客武色，殆有他事，愿公备之也。”刘康公乃儆戎车卒士以待之。晋果使祭事先，因令杨子将卒十二万而随之，涉于棘津，袭聊、阮、梁蛮氏，灭三国焉。此形名不相当，圣人之所察也，苌弘则审矣。故言不足以断事，唯知言之谓者为可。

【译文】

圣人互相理解用不着开口，有在别人开口之前就理解了的。

海边有个人喜欢青鸟，每天早晨待在海边，跟着青鸟游玩，飞来的青鸟不下百数十只，前后左右都是青鸟，整天和他游玩，不肯离去。他父亲告诉他说：“听说青鸟都追随着你起落，把它们捉来，我要玩玩。”第二天他们来到海边，青鸟却再没有飞来的了。

胜书向周公旦进言说：“厅小人多，轻声说话别人就听不见，大声说话别人就听见了，应该轻声说话呢？还是大声说话呢？”周公旦说：“轻声说。”胜书说：“如今这里有一件事，如果说得微妙却说不明白，不说事情又办不成，应该微妙地说呢？还是不说呢？”周公旦说：“不说。”因此，胜书能够用“不说”的方式向周公旦进言，而周公旦能够不待开口即听出他的意思，这就叫做听取意见不待开口。如果进行谋划不用声言，事情不让人知道，殷商即使憎恨西周，也不能挑出他的毛病来。如果闭口不说，而只以微妙的方式相告，商纣王即使心眼再多，也不能知道。如果眼睛从无形之中去看，耳朵从无声之中去听，殷商的耳目即使再多，也不能窥探到什么。人们都有好恶，内心都会有欲望。即使贵为天子，也不能例外。

孔子去见温伯雪子，没有交谈就退出来了。子贡说："先生想见温伯雪子十分迫切，如今见到他却不交谈，这是什么原因呢？"孔子说："像这样的人，一眼望去就知道他的心思了，不必要用言谈。"所以没有见到其人就知道他的心志，见到其人他的心志就都看见了，这是由于他们天生的符信相同。圣人相互了解，难道还要等到开口吗？

楚平王的孙子白公问孔子说："可以与别人秘密地交谈吗？"孔子不予回答。白公说："秘密交谈好比把石头投进水里，那会如何呢？"孔子说："善潜水的人还是可以捞上来的。"白公说："又好比把水倒进水里，那会如何呢？"孔子说："把淄水和渑水混合起来，但厨师易牙一尝就能知道。"白公说："这么说来就不能同别人秘密交谈啰！"孔子说："为什么不可以呢？只有了解所说的真意的人，才可以同他秘密交谈。"白公就不懂得言语的真意。了解言语的真意就无须开口了。言语只是思想的附属物。捉鱼的人要浸湿身子，赶兽的人要奔跑，并不是他们乐意如此。因此最好的言语是闭口不言，最好的作为是无为。心智短浅的人所追求的不过是细枝末节。这就是白公之所以被杀死在监牢里的原因。

齐桓公召集诸侯，卫国人最后才赶到。桓公上朝时与管仲谋划讨伐卫国，退朝后进入内宫，夫人卫姬望见国君，走到堂下一再叩拜，替卫君请罪。桓公说："我和卫国没有什么旧怨，你为什么替卫国请罪呢？"卫姬回答说："我望见您走进来，趾高气扬，有讨伐别国的意图，见了我就改变了脸色，这表明是要讨伐卫国。"第二天桓公上朝，向管仲拱手施礼，把他引进来。管仲说："国君放弃了讨伐卫国吗？"桓公说："仲父您是如何知道的？"管仲说："国君您上朝时施礼很恭敬，而说话又很舒缓，见了我有惭愧的表情，因此我知道了。”桓公说：“好。仲父您治理外事，卫夫人治理内政，我料定终究不会被诸侯所耻笑了。”桓公想用不说话的方式来保密，如今管仲竟凭他的容貌声音、夫人竟凭他的步态和气色就了解他的心意，桓公即使不说话，他的心意也好像黑夜燃烧的火把一样清清楚楚了。

晋襄公派人到周朝去说：“我国的君主病重卧床，用龟甲卜卦，卦上说‘三途那地方作怪’。我国的君主派下臣来，希望借路去那里求福。”天子周景王答应了他。于是上朝，在款待使者的事情结束之后，客人出去了。大夫苌弘对贵戚刘康公说：“到三途去求福，又在天子这里接受礼遇，这是温和而又美善的事情，可是客人露出耀武扬威的神色，恐怕是有其他的事，希望您防备他。”刘康公便部署战车，调兵遣将来应付晋国。晋国果然派祭祀求福的队伍作为先导，接着要杨子率领士兵十二万紧跟其后，在棘津渡河，袭击聊、阮、梁蛮氏，灭掉了这三个国家。这种名实不符的事，是圣人所要仔细审察的，苌弘就审察清楚了。所以说，凭言语不足以判断事体，只有了解言语的真意才行。

离 谓

【原文】

言者以谕意也。言意相离，凶也。乱国之俗，甚多流言，而不顾其实，务以相毁，务以相誉，毁誉成党，众口熏天，贤不肖不分。以此治国，贤主犹惑之也，又况乎不肖者乎？惑者之患，不自以为惑，故惑惑之中有晓焉，冥冥之中有昭焉。亡国之主，不自以为惑，故与桀、纣、幽、厉皆也。然有亡者国，无二道矣。

郑国多相县以书者。子产令无县书，邓析致之。子产令无致书，邓析倚之。令无穷，则邓析应之亦无穷矣。是可不可无辨也。可不可无辨，而以赏罚，其罚愈疾，其乱愈疾，此为国之禁也。故辨而不当理则伪，知而不当理则诈，诈伪之民，先王之所诛也。理也者，是非之宗也。

洧水甚大，郑之富人有溺者，人得其死者。富人请赎之，其人求金甚多，以告邓析。邓析曰："安之。人必莫之卖矣。"得死者患之，以告邓析。邓析又答之曰："安之。此必无所更买矣。"夫伤忠臣者，有似于此也。夫无功不得民，则以其无功不得民伤之；有功得民，则又以其有功得民伤之。

人主之无度者，无以知此，岂不悲哉？比干、苌弘以此死，箕子、商容以此穷，周公、召公以此疑，范蠡、子胥以此流，死生存亡安危，从此生矣。

子产治郑，邓析务难之，与民之有狱者约：大狱一衣，小狱襦袴。民之献衣襦袴而学讼者，不可胜数。以非为是，以是为非，是非无度，而可与不可日变。所欲胜因胜，所欲罪因罪。郑国大乱，民口喧哗。子产患之，于是杀邓析而戮之，民心乃服，是非乃定，法律乃行。今世之人，多欲治其国，而莫之诛邓析之类，此所以欲治而愈乱也。

齐有事人者，所事有难而弗死也，遇故人于途。故人曰："固不死乎？"对曰："然。凡事人以为利也。死不利，故不死。"故人曰："子尚可以见人乎？"对曰："子以死为顾可以见人乎？"是者数传。不死于其君长，大不义也，其辞犹不可服，辞之不足以断事也明矣。夫辞者，意之表也。鉴其表而弃其意，悖。故古之人，得其意则舍其言

矣。听言者以言观意也。听言而意不可知,其与桥言无择。

齐人有淳于髡者，以从说魏王。魏王辩之，约车十乘,将使之荆。辞而行,有以横说魏王,魏王乃止其行。失从之意,又失横之事。夫其多能不若寡能,其有辩不若无辩。周鼎著倕而龁其指,先王有以见大巧之不可为也。

【译文】

话语是用来表明心意的。话语和心意相背离,是十分凶险的。乱国的习俗是,非常称道流言不断,不管真实情况,而拼命地相互诋毁或相互赞誉,由于诋毁或赞誉而结成党羽,人多嘴杂,流言到处散布,因而贤与不贤不分,在这种情况下治国,贤明的君主还会被弄糊涂,又何况平庸的人呢?糊涂人的祸害,在于自己不认为糊涂,所以他处在极端迷惑之中还自以为清醒,处在极端昏暗之中还自以为明白。亡国的君主,自己不认为昏惑,所以他只好与夏桀王、商纣王、周幽王、周厉王这些暴君为伍了。所有灭亡的国家,都是因此而灭亡,并没有其他原因。

郑国很多人喜欢张贴匿名帖,子产下令不准张贴匿名帖,邓析就投送匿名帖。子产又下令不准投送匿名帖,邓析就把匿名帖夹带在其他东西里面寄送。命令没完没了，邓析应付的方法也无穷无尽。这样，可以做与不可以做的事就无法区别了。可以与不可以无法区别,却凭这来进行赏罚,赏罚越厉害,混乱也就越严重,这是治国的禁忌。所以辩说不合理就是诡辩,聪明不在理就是狡诈。狡诈诡辩的人,是先王所要惩处的。正理,是判断是非的根本。

洧水很宽阔,郑国有个富人在水里淹死了,有人捞得他的死尸。

富人家请求把死尸赎回，那个人要求赎金很高。富人家将这事告诉邓析，邓析说："放心吧。那个人肯定无法出卖这具尸体。"捞得尸体的人也担心此事，把它告诉邓析，邓析又回答他说："放心吧，这尸体肯定无处可再买到了。"那些伤害忠臣的人与此有些相似。没有功绩不得民心时，就用没有功绩不得民心来伤害忠臣；有功绩得民心时，又用有功绩得民心来伤害他们。没有法度的国君，无法明白这些，难道不可悲吗？比干、苌弘因此而被杀害，箕子和商容因此而遭穷困，周公、召公因此而被怀疑，范蠡、伍子胥因此而被流放。生死、存亡、安危，都是由此产生的。

子产治理郑国，邓析拼命给他出难题，他同有官司的人相约，打大官司的人送一套长袍，打小官司的人送一套短衣裤，他就告诉他们打官司。于是给他送长袍短衣裤学打官司的人数也数不清。他们把非当作是，把是当作非，是非没有标准，可以与不可以的标准每天都在改变。他们想让谁胜诉就使谁胜诉，想让谁获罪就使谁获罪。郑国被搞得混乱不堪，人民议论纷纷，喧哗不已。子产很担心，于是杀了邓析并陈尸示众，民心才服，是非才定，法律才得以施行。如今世人，大多想治好自己的国家，却不去惩处像邓析这样的人，这就是为什么想治好国家却日益混乱的原因。

齐国有个服侍别人的人，他所服侍的主人遭难，他却不为他卖死命。在路上他遇到了老朋友，老朋友说："原来你还没有死吗？"那人回答说："是呀。大凡服侍人就是为了图利，死对我不利，所以我不死。"他的老朋友说："你还可以见人吗？"那人回答说："你以为死了反倒可以见人吗？"这种风气转相仿效。不为自己的主子卖死命，是极不道义的，他辩解起来还振振有词，凭辩辞不足以判断事情的是非，这是很清楚的了。言辞是意思的外表，只考察它的外表而抛弃它的实际，这是糊涂。所以古代的人，了解了实意就不追究他的言辞了。听话，就是为了观察他的实意。听了话语，对其实意却不了解，这与假话没有什么区别。

齐国人有个叫做淳于髡的，以合纵联盟游说魏惠王。魏王认为他善辩，装束好十辆车子，准备派他出使楚国。但辞行时，淳于髡又以连横学说劝说魏王，魏王便中止了他的行程。这样，淳于髡既失去了合纵的打算，又丢失了连横的事情。他本领太多还不如本领少一些，有辩才还不如无辩才。周代的鼎上铭刻着巧匠咬断自己指头的图像，先王是用此说明过分巧诈之事是不能去做的。

离俗

【原文】

世之所不足者，理义也；所有余者，妄苟也。民之情，贵所不足，贱所有余。故布衣人臣之行，洁白清廉中绳，愈穷愈荣。虽死，天下愈高之，贵所不足也。然而以理义斫削，神农、黄帝，犹有可非，微独舜、汤。飞兔、要褭，古之骏马也，材犹有短。故以绳墨取木，则宫室不成矣。

舜让其友石户之农，石户之农曰：“棬棬乎后之为人也，葆力之士也。”以舜之德为未至也，于是乎夫负妻戴，携子以入于海，去之终身不反。舜又让其友北人无择。北人无择曰：“异哉后之为人也，居于畎亩之中，而游入于尧之门。不若是而已，又欲以其辱行漫我，我羞之。”而自投于苍领之渊。汤将伐桀，因卞随而谋。卞随辞曰：“非吾事也。”汤曰：“孰可？”卞随曰：“吾不知也。”汤又因务光而谋。务光曰：“非吾事也。”汤曰：“孰可？”务光曰：“吾不知也。”汤曰：“伊尹何如？”务光曰：“强力忍詢，吾不知其他也。”汤遂与伊尹谋夏伐桀，克之。以让卞随，卞随辞曰：“后之伐桀也，谋乎我，必以我为贼也；胜桀而让我，必以我为贪也。吾生乎乱世，而无道之人再来詢我，吾不忍数闻也。”乃自投于颍水而死。汤又让于务光曰：“智者谋之，武者遂之，仁者居之，古之道也。吾子胡不位之？请相吾子。”务光辞曰：“废上，非义也；杀民，非仁也；人犯其难，我享其利，非廉也。吾闻之：‘非其义，不受其利；无道之世，不践其土。’况于尊我乎？吾不忍久见也。”乃负石而沉于募水。故如石户之农、北人无择、卞随、务光者，其视天下若六合之外，人之所不能察；其视富贵也，苟可得已，则必不之赖；高节厉行，独乐其意，而物莫之害；不漫于利，不牵于势，而羞居浊世；此惟四士者之节。若夫舜、汤，则苞裹覆容，缘不得已而动，因时而为，以爱利为本，以万民为义。譬之若钓者，鱼有小大，饵有宜适，羽有动静。

齐、晋相与战，平阿之余子亡戟得矛，却而去，不自快，谓路之人曰：“亡戟得矛，可以归乎？”路之人曰：“戟亦兵也，矛亦兵也，亡兵得兵，何为不可以归？”去行，心犹不自快，遇高唐之孤叔无孙，当其马前曰：“今者战，亡戟得矛，可以归乎？”叔无孙曰：“矛非戟也，戟非矛也，亡戟得矛，岂亢责也哉？”平阿之余子曰：“嘻！还反战，趋尚及之。”遂战而死。叔无孙曰：“吾闻之，君子济人于患，必离其难。”疾驱而从之，亦死而不反。令此将众，亦必不北矣；令此处人主之旁，亦必死义矣。今死矣而无大功，其任小故也。任小者，不知大也。今焉知天下之无平阿余子与叔无孙也？故人主之欲得廉士者，不可不务求。

齐庄公之时，有士曰宾卑聚，梦有壮子，白缟之冠，丹绩之袀，东布之衣，新素履，墨剑室，从而叱之，唾其面。惕然而寤，徒梦也。终夜坐，不自快。明日，召其友而告之曰：“吾少好勇，年六十而无所挫辱。今夜辱，吾将索其形，期得之则可，不得将死之。”每朝与其友俱立乎衢，三日不得，却而自殁。谓此当务则未也。虽然，其心之不辱也，有可以加乎。

【译文】

世上所缺少的是正理和道义，所多余的是虚妄和苟且。人之常情是，以缺少的为尊贵，以多余的为卑贱。所以布衣百姓和臣子的品行，洁白清廉便合乎准绳，越穷困越荣耀。即使死了，天下的人却更加推崇他们，为的是尊重这种不多见的人。但是，用正理和道义为准绳来衡量，就是神农和黄帝，还有可以非难的地方，岂止是舜帝和商汤？飞兔、要褭，是古代的骏马，但它们的才能还有短缺之处。所以用死硬的标准来选取木材，那么宫室就建不成了。

舜帝把天下让给他的朋友石户之农。石户之农说：“舜帝的为人太劳累了，是个恃力逞强的人。”他认为舜帝的德行还不完善，于是带着妻子儿女跑到海边，而且一去终身不返。舜帝又把天下让给他的朋友北人无择。北人无择说：“舜帝的为人真是怪呀，庄稼人出身，却找上了尧帝的门，还不肯就此止步，又想以他可耻的行为来玷污我，我羞于见到他。”他就在苍领的深渊中投水而死。商汤王将讨伐夏桀王，想依靠卞随出谋划策。卞随推辞说：“这不是我的事。”商汤王说：“谁可以呢？”卞随说：“我不知道。”商汤王又想依靠务光出谋划策。务光说：“这不是我的事。”商汤王说：“谁可以呢？”务光说：“我不知道。”商汤王说：“伊尹怎么样？”务光说：“他是个自强不息、忍辱负重的人，其他的我就不知道了。”商汤王就同伊尹谋划讨伐夏桀王，成功了，便把天下让给卞随。卞随推辞说：“商汤王讨伐夏桀王的时候，同我商量过，他肯定认为我是个喜好残杀之人；战胜了夏桀王又把天下让给我，他肯定认为我是个贪婪之人。我生在乱世，而暴虐无道之人两度辱骂我，我不忍多次听到这种话。”于是他跳进颍水淹死了。商汤又把天下让给务光，说：“聪明的人图谋天下，有武力的人夺取天下，有仁德的人享有天下，这是自古以来的规律。您何不登帝位呢？我愿意辅佐您。”务光推辞说：“废除天子，是不道义的；杀戮百姓，是不仁德的。别人遭

受灾难，我却享受好处，是不廉洁的。我听说：‘不合乎道义，便不接受人家的好处；对昏乱无道的社会，不踏上他的疆土。’何况接受无道之人对我的尊敬呢？我不忍长期见到这一切。”于是他抱着石头自沉于募水。因此，像石户之农、北人无择、卞随、务光这些人，他们看待天下之事如同天外之物，人们无法体察他们的心境；他们看待富贵，若苟且能够得到的，就决不认为有利；他们崇尚气节，砥砺品行，独自为乐，遂其心志，而任何外物都不能伤害他；他们不为利诱所玷污，不为权势所牵累，而羞于处在污浊的世上，这是以上四个人才有的节操。至于舜帝、商汤王，则无所不包，无所不容，他们由于不得已才行动，因时势而有所作为，以爱和利作为根本，以广大人民为行动准则。他们的行为就好比钓鱼，鱼有大小，自有适宜的钓饵，钓鱼的浮标也有动有静。

齐国和晋国交战，齐国平阿的一位少年丢了戟而得了矛，退下阵来逃离了战场，自己很不高兴，对过路人说：“丢了戟却得了矛，可以回去吗？”过路人说：“戟是兵器，矛也是兵器，丢了兵器又得到了兵器，为什么不可以回去呢？”他离开路人继续赶路，心里还是不高兴，遇到了齐国高唐的孤儿叔无孙，他挡在叔无孙的马前，说：“今天交战，我丢了戟而得了矛，可以回去吗？”叔无孙说：“矛不是戟，戟不是矛，丢了戟却得到了矛，难道能抵消你的责任吗？”平阿的那位少年说：“嘿！回去战斗，追上去还能来得及。”于是他战死了。叔无孙说：“我听说，君子将别人引入患难之中，自己也必须身临患难。”叔无孙赶快跟上去，也战死没有返回。让这样的人率领军队，也必定不会败逃的；让这种人留在君主的身边，也必定会为道义而死。如今他们死了却没有建立大功，是因为他们地位卑微。卑微的人，不知道大势。如今怎么知道天下就没有像平阿的少年和叔无孙这样的人呢？所以国君想得到廉洁的人，不可不努力寻求。

齐庄公的时候，有个士子叫做宾卑聚，梦见有位壮士，戴着白绢帽子，系着红色帽带，身着熟丝衣服，穿着崭新的素色鞋子，佩着黑色的剑鞘，走过来叱责他，向他脸上吐唾沫。他惊惧地醒来，只不过是一个梦。他整夜坐着，很不高兴。第二天，叫来他的朋友，告诉他说："我年少时就喜好勇武，今年已六十，还没有受过挫折和侮辱。昨夜受到侮辱，我将寻找他的身影，希望找到他就好，找不到他，我将死去。"宾卑聚每天和他的朋友一起站在大街上，三天都没有找到梦中的人，回来就自杀了。要说这是合乎时宜则未必，但即使如此，他的心志不可受辱，没有比这更可贵的了。

用　民

【原文】

凡用民，太上以义，其次以赏罚。其义则不足死，赏罚则不足去就，若是而能用其民者，古今无有。民无常用也，无常不用也，唯得其道为可。

阖庐之用兵也，不过三万，吴起之用兵也，不过五万。万乘之国，其为三万五万尚多。今外之则不可以拒敌，内之则不可以守国，其民非不可用也，不得所以用之也。不得所以用之，国虽大，势虽便，卒无众，何益？古者多有天下而亡者矣，其民不为用也。用民之论，不可不熟。

剑不徒断，车不自行，或使之也。夫种麦而得麦，种稷而得稷，人不怪也。用民亦有种，不审其种，而祈民之用，惑莫大焉。

当禹之时，天下万国，至于汤而三千余国，今无存者矣，皆不能用其民也。民之不用，赏罚不充也。汤、武因夏、商之民也，得所以用之也。管、商亦因齐、秦之民也，得所以用之也。民之用也有故，得其故，民无所不用。用民有纪有纲，壹引其纪，万目皆起；壹引其纲，万目皆张。为民纪纲者何也？欲也恶也。何欲何恶？欲荣利，恶辱害。

辱害所以为罚充也，荣利所以为赏实也。赏罚皆有充实，则民无不用矣。

阖庐试其民于五湖，剑皆加于肩，地流血几不可止；勾践试其民于寝宫，民争入水火，死者千余矣，遽击金而却之。赏罚有充也。莫邪不为勇者与惧者变，勇者以工，惧者以拙，能与不能也。

夙沙之民，自攻其君而归神农。密须之民，自缚其主而与文王。汤、武非徒能用其民也，又能用非己之民。能用非己之民，国虽小，卒虽少，功名犹可立。古昔多由布衣定一世者矣，皆能用非其有也。用非其有之心，不可不察之本。三代之道无二，以信为管。

宋人有取道者，其马不进，倒而投之鸂水。又复取道，其马不进，又倒而投之鸂水。如此者三。虽造父之所以威马，不过此矣。不得造父之道，而徒得其威，无益于御。人主之不肖者，有似于此。不得其道，而徒多其威。威愈多，民愈不用。

亡国之主，多以多威使其民矣。故威不可无有，而不足专恃。譬之若盐之于味，凡盐之用，有所托也。不适，则败托而不可食。威亦然，必有所托，然后可行。恶乎托？托于爱利。爱利之心谕，威乃可行。威太甚则爱利之心息，爱利之心息而徒疾行威，身必咎矣。此殷、夏之所以绝也。君，利势也，次官也。处次官，执利势，不可而不察于此。夫不禁而禁者，其唯深见此论邪。

【译文】

凡是使用民众，最好是靠仁义，其次靠赏罚。靠仁义如果不足以使民众为之效死，靠赏罚如果不足以使民众去恶从善，像这样却能使用所统治的民众的，古往今来都没有过。民众不总是能使用的，也不总是不能使用的，只要掌握了其规律，就能使用他们。

阖庐用兵不过三万人，吴起用兵也不过五万人。万乘大国其兵力比三万、五万还多，如今对外却不能御敌，对内却不能保国，这些民众并非不可使用，而是统治者没有掌握使用民众的方法。不掌握使用民众的方法，国家即使强大，形势即使有利，士卒不管有多少，又有什么益处呢？古代很多人拥有天下，却又丢了天下，就因为所统治的民众不为他所使用。使用民众的关键不可不钻研娴熟。

剑不会无缘无故斩断物体，车子不会自己行驶，总得有人运用它们。播种麦子就收获麦子，播种稷就收获稷，人们不会感到奇怪。使用民众也像播种，不考虑所播下的“种子”，却乞求民众为自己所使用，没有什么比这更加糊涂的了。

在大禹的时代，天下有上万个国家，到了商汤时代，就只有三千多个国家了，到现在都不存在了，因为他们都不能使用自己的民众。民众不被使用，在于赏罚不落实。商汤王、周武王依靠的是商朝和夏朝的民众，这是因为他们懂得使用的方法；管仲、商鞅依靠的是齐国和秦国的民众，这是因为他们也懂得使用的方法。民众被使用是有原因的，懂得其中的原因，就没有什么人不可使用。使用民众有总纲，只要把握了总纲，所有的目就能张开。治理民众的总纲是什么呢？就是欲求和厌恶。欲求什么厌恶什么呢？欲求荣誉和利益，厌恶耻辱和祸害。耻辱和祸害是用以实施惩罚的，荣誉和利益是用以实施奖赏的。赏罚都有内在的实质，那么民众就没有不能被使用的了。

阖庐曾经在五湖试验他的国民，剑都架在他们的肩头，血流到地上，都不能阻止他们向前；勾践曾经在寝宫演习试验他的国民，百姓争着赴汤蹈火，死的人有一千多，他立即敲锣收兵，才使他们退下来，这是因为他们的赏罚落实。莫邪利剑不因为勇敢者和怯懦者而改变其性能，但在勇敢的人手里就灵巧，在怯懦的人手里就笨拙，这就在于会不会使用这种宝剑。

夙沙部落的民众，自发起来攻击他们的国君，而归顺神农。密须的民众自发起来捆住他们的国君，而投靠文王。商汤王、周武王不仅仅能使用自己的民众，还能使用不属于自己的民众。能够役使不属于自己的民众，国家虽小，士卒虽少，功名还是能够建立的。古代有很多由布衣百姓建立的一代王朝，他们都能使用原本不属于自己的民众。对使用不属于自己民众的想法，不得不考察其根本出发点。夏、商、周三代的原则没有别的，以守信用为关键。

宋国有个驱车赶路的人，他的马不肯前进，他就把马杀了丢到溵水之中，换上一匹马继续驱车赶路，那匹马不肯前进，他又把它杀了丢到溵水之中，如此有三次。即使古代的驭马能手造父用来威吓马的手段，也不过如此了。没有掌握造父的驭马方法，而只学到了他威吓马的手段，对驭马没有什么益处。一些不贤明的国君，同这有些相似。他们不懂得役使民众的方法，而只是增加威势，威势愈增，民众愈不听使用。亡国的君主，大多靠增加威势来役使他的民众。固然威势不可没有，但专门倚仗它就不足取了。这好比食盐与口味的关系，凡是食盐的使用，总是有所依托的，用得不适当就会败坏所依托的东西，从而不能食用。威吓手段也是这样，必须有所依托，然后才能行得通。依托什么呢？依托爱民利民的措施。爱民利民的思想被人理解了，威势就能够行得通。威势过重就会使爱民利民的思想熄灭，爱民利民的思想熄灭，而一味地厉行威势，自身就必然遭殃，这就是商朝和夏朝为什么绝灭的原因。国君，是利禄和威势的集中体现者，其地位为众人所觊觎，如同驻军于馆舍。处在馆舍受四面环攻，又执掌着利禄和威势，不能不对用民这一道理认真考察。不发布禁令而邪恶就自行禁止，那是只有深刻了解这一道理才会有的效果。

贵　信

【原文】

凡人主必信。信而又信，谁人不亲？故《周书》曰：“允哉！允哉！”以言非信则百事不满也，故信之为功大矣。信立则虚言可以赏矣。虚言可以赏，则六合之内皆为己府矣。信之所及，尽制之矣。制之而不用，人之有也；制之而用之，己之有也。己有之，则天地之物毕为用矣。人主有见此论者，其王不久矣；人臣有知此论者，可以为王者佐矣。

天行不信，不能成岁；地行不信，草木不大。春之德风，风不信，其华不盛，华不盛，则果实不生；夏之德暑，暑不信，其土不肥，土不肥，则长遂不精；秋之德雨，雨不信，其谷不坚，谷不坚，则五种不成；冬之德寒，寒不信，其地不刚，地不刚，则冻闭不开。天地之大，四时之化，而犹不能以不信成物，又况乎人事？

君臣不信，则百姓诽谤，社稷不宁；处官不信，则少不畏长，贵贱相轻；赏罚不信，则民易犯法，不可使令；交友不信，则离散郁怨，不能相亲；百工不信，则器械苦伪，丹漆不贞。夫可与为始，可

与为终，可与尊通，可与卑穷者，其唯信乎！信而又信，重袭于身，乃通于天。以此治人，则膏雨甘露降矣，寒暑四时当矣。

齐桓公伐鲁，鲁人不敢轻战，去国五十里而封之，鲁请比关内侯以听，桓公许之。曹刿谓鲁庄公曰："君宁死而又死乎？其宁生而又生乎？"庄公曰："何谓也？"曹刿曰："听臣之言，国必广大，身必安乐，是生而又生也。不听臣之言，国必灭亡，身必危辱，是死而又死也。"庄公曰："请从。"于是明日将盟，庄公与曹刿皆怀剑至于坛上。庄公左搏桓公，右抽剑以自承，曰："鲁国去境数百里，今去境五十里，亦无生矣。钧其死也，戮于君前。"管仲、鲍叔进，曹刿按剑当两陛之间曰："且二君将改图，毋或进者！"庄公曰："封于汶则可，不则请死。"管仲曰："以地卫君，非以君卫地，君其许之。"乃遂封于汶南，与之盟。归而欲勿予。管仲曰："不可。人特劫君而不盟，君不知，不可谓智；临难而不能勿听，不可谓勇；许之而不予，不可谓信。不智不勇不信，有此三者，不可以立功名。予之，虽亡地亦得信。以四百里之地见信于天下，君犹得也。”庄公，仇也；曹刿，贼也。信于仇贼，又况于非仇贼者乎？夫九合之而合，壹匡之而听，从此生矣。管仲可谓能因物矣。以辱为荣，以穷为通，虽失乎前，可谓后得之矣。物固不可全也。

【译文】

大凡国君必须守信用。坚守信用决不懈怠，谁不会来亲近你呢？所以《逸周书》上说："真诚呀真诚呀！"以此说明不守信用就百事不能成功，所以守信用产生的功效是很大的。信用一经确立，对假的承诺也就可以要求其兑现了。对假的承诺可以要求其兑现，那么宇宙之内都成了自己藏金的府库了。信用所达到的地方，全都能控制了。但控制了却不使用，仍为他人所有；控制了加以使用，才为自己所有。为自己所有，那么天地间的事物就都为自己所用了。国君如果认识这个道理，他称王天下就为时不远了；臣子如果了解这个道理，就可以成为帝王的辅佐了。

天的运行不信守常规，就不能形成周岁；地的运行不信守常规，草木就不能生长。春天的旺气在于春风，春风如不信守常规按时到来，花就开得不茂盛，花开得不茂盛，果实就不能生长；夏天的旺气在于暑热，暑热如不信守常规按时降临，土地就不肥沃，土地不肥沃，作物就生长得不好；秋天的旺气在于秋雨，秋雨若不信守常规按时落下，谷粒就不饱满，谷粒不饱满，五谷就没有收成；冬天的旺气在于寒冷，寒冷如不信守常规按时到来，大地就冻不坚硬，地冻不坚硬就不能开坼。天地这样广大，四季这样多变，尚且不能以不信守常规来生成万物，又何况于人间世事呢？

君臣不守信用，百姓就会非议，国家就不得安宁；居官不守信用，年少的就不会敬畏年长的，地位尊贵的和卑贱的就会相轻；赏罚不守信用，百姓就会轻易犯法，不听使派；交友不守信用，就会产生离心离德、忧愁、怨恨，不能彼此相亲；各业的工匠不守信用，造出的器械就会粗糙伪劣，染色上彩就会色彩不正。无论在开始还是终了，无论在尊贵显达还是在卑贱穷困之时，都能与之在一起的，大概只有信用吧。坚守信用决不懈怠，用信用反复约束自己，就能与天相通。凭这样去管理百姓，及时滋润的雨露就会降临，寒暑和四季就会按时更替。

齐桓公讨伐鲁国，鲁国人不敢轻易交战，在离国都五十里远之地团团筑起了封锁的工事，鲁国请求比照关内侯的身份听命于齐国。齐桓公答应了，曹刿对鲁庄公说："国君宁愿死得更惨呢，还是活得更好呢？"庄公说："怎么讲？"曹刿说："听臣的话，国土必然更广大，您自身必然安乐，就会活得更好。不听臣的话，国家必然灭亡，您自身必遭危险耻辱，就会死得更惨。"鲁庄公说："我愿听你的话。"于是第二天准备与齐桓公订立盟约，鲁庄公和曹刿都藏着宝剑来到盟坛上。庄公左手抓住桓公，右手抽剑护着自己，说："鲁国国都原来离边境有几百里，如今离边境只有五十里了，我们也没有活路了，反正都是死，现在就拼死在你跟前。"管仲和鲍叔牙冲上前去，曹刿按住宝剑挡在盟坛两边台阶之间，说："现在两位国君要另作商量，不许有人上前。"庄公说："齐国把疆界划在汶河就行，不然就愿拼一死。"管仲说："应该拿土地来保卫国君，而不是拿国君来保护土地，桓公你就答应了吧。"于是，齐国就把国界划在汶河以南，与鲁国订立了盟约。齐桓公回国后，又想不给鲁国土地，管仲说："不行。人家特地要挟您而不答应与您盟誓，您事先不知道，这不能算聪明；面对危难又不得不听别人的，这不能算勇敢；答应了别人却又不给别人，这不能算守信用。不聪明、不勇敢、不守信用，有了这三条，您就不能立功扬名。给了他们，虽然丢了土地，但也获得守信用的名声。用方圆四百里土地在天下人面前表明守信用，国君还是有收获的。"对桓公来说，鲁庄公是仇人，曹刿是逆贼。对仇人和逆贼尚且讲信用，又何况对不是仇人和逆贼者呢？桓公多次会合诸侯结盟，一举匡正天下而使天下人都听从他，这都是由于守信用才产生的。管仲可说是能够因势利导的了。他将耻辱转化为荣耀，将穷困转化为通达，虽然失算于前，但可以说后来还是有所得。

长 利

【原文】

天下之士也者，虑天下之长利，而固处之以身若也。利虽倍于今，而不便于后，弗为也；安虽长久，而以私其子孙，弗行也。自此观之，陈无宇之可丑亦重矣，其与伯成子高、周公旦、戎夷也，形虽同，取舍之殊，岂不远哉？

尧治天下，伯成子高立为诸侯。尧授舜，舜授禹，伯成子高辞为诸侯而耕。禹往见之，则耕在野。禹趋就下风而问曰："尧理天下，吾子立为诸侯，今至于我而辞之，其故何也？"伯成子高曰："当尧之时，未赏而民劝，未罚而民畏，民不知怨，不知说，愉愉其如赤子。今赏罚甚数，而民争利且不服，德自此衰，利自此作，后世之乱自此始。夫子盍行乎？无虑吾农事！"协而耰，遂不顾。夫为诸侯，名显荣，实佚乐，继嗣皆得其泽，伯成子高不待问而知之，然而辞为诸侯者，以禁后世之乱也。

辛宽见鲁缪公曰："臣而今而后，知吾先君周公之不若太公望封之知也。昔者太公望封于营丘之渚，海阻山高，险固之地也。是故地日广，子孙弥隆。吾先君周公封于鲁，无山林溪谷之险，诸侯四面以达，是故地日削，子孙弥杀。”辛宽出，南宫括入见。公曰：“今者宽也非周公，其辞若是也。”南宫括对曰：“宽少者，弗识也。君独不闻成王之定成周之说乎？其辞曰：‘惟余一人，营居于成周。惟余一人，有善易得而见也，有不善易得而诛也。’故曰善者得之，不善者失之，古之道也。夫贤者岂欲其子孙之阻山林之险以长为无道哉？小人哉宽也。今使燕爵为鸿鹄凤皇虑，则必不得矣。其所求者，瓦之间隙，屋之翳蔚也。与一举则有千里之志，德不盛、义不大则不至其郊。愚庳之民，其为贤者虑，亦犹此也。固妄诽訾，岂不悲哉？”

戎夷违齐如鲁，天大寒而后门，与弟子一人宿于郭外。寒愈甚，谓其弟子曰：“子与我衣，我活也；我与子衣，子活也。我，国士也，为天下惜死；子，不肖人也，不足爱也。子与我子之衣。”弟子曰：“夫不肖人也，又恶能与国士之衣哉？”戎夷太息叹曰：“嗟乎！道其不济夫。”解衣与弟子，夜半而死，弟子遂活。谓戎夷其能必定一世，则未之识；若夫欲利人之心，不可以加矣。达乎死生之分，仁爱之心诚也，故能以必死见其义。

【译文】

天下的士子，考虑天下的长远利益，因而坚守原则身体力行：即使有比目前加倍的利益，但对将来不利，就不去做；即使能够得到长久的安宁，但只给自己的子孙图谋私利，也不去做。由此看来，齐国大夫陈无宇也真是太可耻了，他与不肯接受诸侯地位的伯成子高、忠心辅佐王室的周公旦、宁肯冻死也不行不义的戎夷等人相比，外表虽然相同，但取舍的差别，难道不是太远了吗？

尧帝治理天下，伯成子高被立为诸侯。尧把天下传给舜，舜把天下传给禹，伯成子高辞去诸侯而去耕种。大禹去见他，他却在田野里耕作。大禹跑到风向的下方去问他，说："尧帝治理天下时，您被立为诸侯，如今轮到我治理天下，您却辞去诸侯，这是什么原因呢？"伯成子高说："在尧帝的时候，不用奖赏百姓就能奋发努力，不用惩罚百姓就能有所畏惧，百姓不知道怨恨什么，不知道高兴什么，和颜悦色好似婴儿。如今赏罚繁多，百姓争夺利益且不顺服，道德从此衰败，逐利的风气从此兴起，后代的祸乱就从此开始了。先生何不快走？不要耽误了我的农事。"说着他拿起农具继续耕种，就再没回头。做一个诸侯，论名声他显赫荣耀，论实惠他安逸快乐，子孙后代都能得其恩泽，伯成子高不用打听就了解，然而他不肯做诸侯，就是为了杜绝后代争夺之乱。

辛宽进见鲁穆公，说："我如今才知道我们的祖先周公在建国方面不如太公望明智。从前太公望被封在营丘，这是拦海阻山险要坚固之地，因此他的地盘一天天拓宽，子孙越来越兴旺。我们的祖先周公被封在鲁，没有山林溪谷的险要，诸侯四面都可以通达，因此他的地盘一天天减少，子孙越来越衰落。"辛宽退出后，南宫括去进见，鲁穆公说："刚才辛宽非议周公，他的话如此这般。"南宫括回答说："辛宽年轻，没有见识。您难道没有听说过周成王在成周定都说的话吗？他的话说：'我在成周这个四通八达的地方营建住所。我有好的言行容易为人所见，我有坏的言行也容易为人所指责。'所以有善行的人可以得到天下人拥戴，没有善行的人则失去天下人拥戴，这是自古以来的规律。贤德的人难道想要自己的子孙占据山林险地而长久实行暴政吗？辛宽真是小人啊！现在叫燕雀为鸿鹄、凤凰去谋虑，必不可能有什么好事。燕雀所追求的只是瓦楞间隙、屋檐之荫庇；让它们去为那腾飞就怀有千里志向，连道德不昌盛、仁义不广之国的郊野都不愿停息的鸿鹄和凤凰谋虑，就必不可能。企望愚昧而低下的人为贤者谋虑，也是如此。那些顽固、狂妄，诽谤圣贤的小人，难道不可悲吗？”

戎夷离开齐国到鲁国去，天气很冷，傍晚城门又关了，他和一个弟子只好住宿在城外。天冷得更厉害了。戎夷对他的弟子说：“你给我衣服穿，我就能活；我给你衣服穿，你就能活。我是国中杰出的人物，为了天下人的利益，我不能作无谓的牺牲；你是个不肖的人，不值得爱惜自己的生命，把你的衣服给我吧。”弟子说：“不肖的人哪能做出贤者的举动把衣服给国中的杰出人物呢？”戎夷长叹说：“唉！我的道行大概行不通吧？”他解下衣服给了弟子，半夜时分就冻死了，弟子于是活了下来。若说戎夷一定能够安定整个社会，则未可知；至于企图利人的思想，就没有比这更高尚的了。戎夷通晓生死的区分，仁爱之心很真诚，所以能够以必死的态度显示其道义。

达 郁

【原文】

凡人三百六十节，九窍、五藏、六府。肌肤欲其比也，血脉欲其通也，筋骨欲其固也，心志欲其和也，精气欲其行也。若此则病无所居，而恶无由生矣。病之留、恶之生也，精气郁也。故水郁则为污，树郁则为蠹，草郁则为蒉。国亦有郁。主德不通，民欲不达，此国之郁也。国郁处久，则百恶并起，而万灾丛生矣。上下之相忍也，由此出矣。故圣王之贵豪士与忠臣也，为其敢直言而决郁塞也。

周厉王虐民，国人皆谤。召公以告，曰："民不堪命矣。"王使卫巫监谤者，得则杀之。国人莫敢言，道路以目。王喜，以告召公曰："吾能弭谤矣。"召公曰："是障之也，非弭之也。防民之口，甚于防川；川壅而溃，败人必多。夫民犹是也。是故治川者决之使导，治民者宣之使言。是故天子听政，使公卿列士正谏，好学博闻献诗，蒙箴师诵，庶人传语，近臣尽规，亲戚补察，而后王斟酌焉。是以下无遗善，上无过举。今王塞下之口，而遂上之过，恐为社稷忧。"王弗听也。三年，国人流王于彘。此郁之败也。郁者，不阳也。周鼎著鼠，令马履之，为其不阳也。不阳者，亡国之俗也。

管仲觞桓公。日暮矣，桓公乐之而征烛。管仲曰："臣卜其昼，未卜其夜。君可以出矣。"公不悦，曰："仲父年老矣，寡人与仲父为乐将几之？请夜之。"管仲曰："君过矣。夫厚于味者薄于德，沉于乐者反于忧；壮而怠则失时，老而解则无名。臣乃今将为君勉之，若何其沉于酒也？"管仲可谓能立行矣。凡行之堕也于乐，今乐而益饬；理之坏也于贵，今主欲留而不许。伸志行理，贵乐弗为变，以事其主，此桓公之所以霸也。

列精子高听行乎齐湣王，善衣东布衣，白缟冠，颡推之履，特会朝雨袪步堂下，谓其侍者曰："我何若？"侍者曰："公姣且丽。"列精子高因步而窥于井，粲然恶丈夫之状也。喟然叹曰："侍者为吾听行于齐王也，夫何阿哉？又况于所听行乎万乘之主，人之阿之亦甚矣，而无所镜，其残亡无日矣。孰当可而镜？其唯士乎！人皆知说镜之明己也，而恶士之明己也。镜之明己也功细，士之明己也功大。得其细，失其大，不知类耳。"

赵简子曰："厥也爱我，铎也不爱我。厥之谏我也，必于无人之所；铎之谏我也，喜质我于人中，必使我丑。"尹铎对曰："厥也爱君之丑也，而不爱君之过也；铎也爱君之过也，而不爱君之丑也。臣尝闻相人于师，敦颜而土色者忍丑。不质君于人中，恐君之不变也。”此简子之贤也。人主贤则人臣之言刻。简子不贤，铎也卒不居赵地，有况乎在简子之侧哉？

【译文】

凡人有三百六十道关节，有两眼、两鼻孔、两耳、口、生殖器、肛门等九窍，有心、脾、肺、肝、肾等五脏和胃、胆、三焦、膀胱、大肠、小肠等六腑。肌肤要求细腻，血脉要求畅通，筋骨要求强固，心志要求平和，精气要求运行，如果这样，疾病就无处停留，邪恶就无从产生了。疾病的停留、邪恶的产生，都是由于精气郁结不通。所以，水郁结不通就会变得污浊，树郁结不通就会滋生蠹虫，草郁结不通就会腐烂。国家也有郁结不通的情况。国君的恩德不通于下，百姓的要求不达于上，这就是国家的郁结之处。国家的郁结持续久了，所有邪恶就会同时兴起，一切灾害都会纷纷发生。上下相互残酷争斗，也会由此产生了。所以圣王看重豪杰之士和忠贞之臣，就因为他们敢于直言从而排除郁塞。

周厉王残害百姓，国人都指责他。大臣召公虎把情况告诉他说：“人民受不了暴虐的政令了。”厉王派卫巫监视指责的人，一抓到就杀掉。国人都不敢说话了，在路上相遇只是使使眼色。厉王高兴了，把这消息告诉召公虎说：“我能够消除人民的指责了。”召公虎说：“这是堵住人民的嘴巴，不是消除人民的指责。堵住人民嘴巴的后果，比堵塞河流更为危险。河流堵塞了就会溃决成灾，伤害人必然很多。百姓也是这样。所以治水的人挖掘河堤使之疏通，治理百姓的人要开导他们，让他们说话。所以天子处理政事，让公卿百官劝谏他，让喜好学习、见闻广博的人进献反映民情的诗篇，瞎子为天子提供训诫的箴言，乐师为天子诵读这些诗篇和箴言，平民把对政事的意见间接地传达给天子，身边的臣子尽规谏之责，内外亲属辅助天子省察自己，然后君主斟酌而行。因此下面没有被遗忘的好人，上面没有失误的行为。如今君王堵住人民的嘴巴，助长自己的过错，恐怕会成为国家的忧患。”厉王没有听从召公虎的话。过了三年，国人便把厉王放逐到彘地去了。这是郁结不通的危害。郁结不通，就是不能发扬舒展。周鼎上铭刻着老鼠，又让马踩着它，就是因为老鼠是阴类而不是阳类。郁结不通，这是亡国的风尚。

管仲请齐桓公饮酒，天晚了，桓公仍然兴致很浓，并招呼点烛。管仲说：“我只料到您白天饮酒，没有料到您晚上饮酒。您可以退出了。”桓公听了不高兴，说：“仲父年纪老了，我和您仲父行乐还会有几次呢？请晚上继续吧。”管仲说：“您错了。看重口味的人道德就轻薄，沉湎于宴乐的人反会身处忧患之中；壮年怠惰就会失去大好时光，老年懈怠就没有善终的美名。我今天就打算勉励您不要懈怠，怎么能如此沉湎于饮酒作乐呢？”管仲可说是能够确立德行的了。大凡品行的堕落，就在沉湎于宴乐，如今桓公要饮酒作乐，管仲却一再纠正；而义理的败坏就由于地位尊贵了，如今君主要留下饮酒，他却不答应。管仲伸张自己的志气，推行自己的义理，即令尊贵和宴乐，也不为之改变，以此来侍奉自己的君主，这正是桓公为什么成为霸主的原因。

齐国贤者列精子高，他的德行受到齐湣王的敬重。但他喜欢穿大布衣，戴白丝帽子，穿高头鞋。有次正碰上早晨下雨，他两手举着衣服走过堂下，对他的侍者说：“我的样子怎么样？”侍者说：“您真漂亮。”列精子高于是步行到井边，看看自己的影子，一看分明是个丑男子的模样，便喟然长叹道：“侍者因为我的德行受到齐王的敬重，竟如此奉承我！更何况对于敬重我又拥有万乘大国的君主齐王呢，人们奉承他也会更厉害啊，如果他没有那用以照照自己的‘镜子’，他的败亡就不会很久了。谁适合做他的‘镜子’呢？大概只有士子吧！人们都知道、喜欢用镜子照见自己，但厌恶士子指明自己的过失。镜子能照见自己，作用是很小的，士子能指明自己的过失，作用就大了。抓住了小的，丢失了大的，这是太不懂道理了。”

赵简子说：“赵厥爱我，尹铎不爱我。赵厥规劝我，总在无人的场所；尹铎规劝我，喜欢在大庭广众中纠正我的过失，总让我出丑。”尹铎回答说：“赵厥是为您的羞辱感到痛惜，而不是为您的过失感到痛惜；我为您的过失感到痛惜，而不为您的羞辱感到痛惜。我曾经从老师那里得知给人看相的方法，像您这样容貌敦厚而面呈土色的人，是能够忍受羞辱的。我若不在大庭广众之中纠正您的过失，恐怕您不会改正。”赵简子能接受尹铎的规劝，这是他贤明之处。君主贤明，臣子才会言语尖锐。赵简子如果不贤明，尹铎最终是不会留在赵国的，又何况待在赵简子的身边呢？

察贤

【原文】

今有良医于此，治十人而起九人，所以求之万也。故贤者之致功名也，必乎良医，而君人者不知疾求，岂不过哉？今夫塞者，勇力、时日、卜筮、祷祠无事焉，善者必胜。立功名亦然，要在得贤。魏文侯师卜子夏，友田子方，礼段干木，国治身逸。天下之贤主，岂必苦形愁虑哉？执其要而已矣。雪霜雨露时，则万物育矣，人民修矣，疾病妖厉去矣。故曰尧之容若委衣裘，以言少事也。

宓子贱治单父，弹鸣琴，身不下堂，而单父治。巫马期以星出，以星入，日夜不居，以身亲之，而单父亦治。巫马期问其故于宓子。宓子曰："我之谓任人，子之谓任力。任力者故劳，任人者故逸。"宓子则君子矣，逸四肢，全耳目，平心气，而百官以治，人民以义矣，任其数而已矣。巫马期则不然，弊生事精，劳手足，烦教诏，虽治犹未至也。

【译文】

如果这里有位良医，治疗十人而使九人的病有起色，那么求他的人就会有上万。所以贤者为国君招致功名，比良医治病更有把握。但国君不知急于访求贤者，怎么不犯错误呢？如今那些玩棋戏的人，凭借勇力、时日及占筮、祭祷都无济于事，而精于棋艺的人终必获胜。建立功名也是这样，关键在于求得贤者。魏文侯拜卜子夏为师，以田子方为友，礼遇段干木，于是国家得到治理，自身得到安逸。天下的贤君，难道一定要形体劳累，苦思愁虑么？只需抓住要领罢了。当雪霜雨露适时，万物就能生长，人民就能修养，疾病和邪恶就会消除了。所以说，尧帝的仪容是那样悠闲自得，垂拱而治，这是说明他政事很少。

宓子贱治理单父，只弹弹琴，自身不下殿堂而单父就得到治理。巫马期早出晚归，披星戴月，日夜不停，亲自处理政事，单父也得到治理。巫马期向宓子贱请教其中原因。宓子贱说："我是靠用人，你是靠用力，用力的人因之劳累，用人的人因之安逸。"宓子贱乃是个君子，他四肢安逸，耳目保全，心平气和，而百官治理得恰当，这只是运用了用人之术而已。巫马期就不是这样，他耗费生命，使用精神，劳累手脚，频发教令，虽然治理好了单父，但并未达到最高境界。

期　贤

【原文】

今夫爚蝉者，务在乎明其火，振其树而已。火不明，虽振其树，何益？明不独在乎火，在于暗。当今之时，世暗甚矣，人主有能明其德者，天下之士，其归之也，若蝉之走明火也。凡国不徒安，名不徒显，必得贤士。

赵简子昼居，喟然太息曰："异哉！吾欲伐卫十年矣，而卫不伐。"侍者曰："以赵之大而伐卫之细，君若不欲则可也。君若欲之，请令伐之。"简子曰："不如而言也。卫有士十人于吾所，吾乃且伐之，十人者言其不义也，而我伐之，是我为不义也。"故简子之时，卫以十人者按赵之兵，殁简子之身。卫可谓知用人矣，游十士而国家得安。简子可谓好从谏矣，听十士而无侵小夺弱之名。

魏文侯过段干木之闾而轼之，其仆曰："君胡为轼？"曰："此非段干木之闾欤？段干木盖贤者也，吾安敢不轼？且吾闻段干木未尝肯以己易寡人也，吾安敢骄之？段干木光乎德，寡人光乎地；段干木富乎义，寡人富乎财。"其仆曰："然则君何不相之？"于是君请相之，段干木不肯受。则君乃致禄百万，而时往馆之。于是国人皆喜，相与诵之曰："吾君好正，段干木之敬；吾君好忠，段干木之隆。"居无几何，秦兴兵欲攻魏，司马唐谏秦君曰："段干木贤者也，而魏礼之，天下莫不闻，无乃不可加兵乎！"秦君以为然，乃按兵辍不攻之。魏文侯可谓善用兵矣。尝闻君子之用兵，莫见其形，其功已成，其此之谓也。野人之用兵也，鼓声则似雷，号呼则动地，尘气充天，流矢如雨，扶伤舆死，履肠涉血，无罪之民其死者量于泽矣，而国之存亡、主之死生犹不可知也。其离仁义亦远矣。

【译文】

如今用火光扑蝉的人，只务求点亮火光，摇动树枝罢了。火光不明亮，即使摇动树枝，又有什么用呢？明亮不仅仅在火光本身，还要在于四周环境的黑暗。当今时代，世道黑暗极了，国君如能使自己的道德显赫，天下的士子归顺他，就好比蝉之趋向明亮的光芒一样。大凡国家，不会无缘无故地安宁，名声也不会无缘无故地显赫，一定要得到贤士才行。

赵简子白天呆在家里，喟然长叹说："奇怪呀！我想讨伐卫国已十年了，但一直没能付诸行动。"侍从人员说："凭赵国这样的大国，讨伐卫国这样的小国，国君不想讨伐则已，您如果想讨伐，请现在就讨伐它吧。"赵简子说："这不像你说的那样简单呀。卫国有十个士子在我这里，我若将讨伐卫国，这十个人就会说不道义。如果我硬要讨伐卫国，我这就成了不道义的人。"所以，在赵简子时代，卫国凭借十个人就遏制了赵国的军队，直至赵简子去世。卫国可说是知道用人的了，让十个士子在外游宦，国家便得到安宁。赵简子可说是喜好听从规劝的了，听从了十个士子的劝谏就没有侵略小国、掠夺弱国的坏名声。

魏文侯经过段干木的门前，便扶着车前的横木行礼，他的仆从说："国君为何伏轼行礼呢？"魏文侯说："这不是段干木的家门吗？段干木乃是个贤者，我怎敢不伏轼行礼呢？况且我听说段干木曾不肯用自己的贤德换取我的官职，我怎敢对他骄慢无礼呢？段干木德行广大，而我只有广阔的土地；段干木富于道义，而我只富有财产。"他的仆从说："既然这样，您为什么不任命他为相国呢？"于是魏文侯请求段干木担任相国，段干木不肯接受，魏文侯就给他百万俸禄，且常常去慰问他。于是国人都很高兴，相互传诵说："我们的国君喜好正人君子，他是这样尊敬段干木；我们的国君喜好忠贞之士，他是这样厚待段干木。"过了没有多久，秦国兴兵想攻打魏国，司马唐劝谏秦君说："段干木是个贤者，而魏国礼遇他，天下没有不知道的。恐怕不可向魏国用兵吧！"秦君认为很对，就按兵不动，不去攻打魏国。魏文侯可说是善于用兵的了。曾听说君子用兵，不见它的形迹，他的功业就已经成就，大概就是说的这种情况吧。粗野之人用兵，则鼓声似雷，喊声动地，烟尘满天，飞箭如雨，扶着伤员，运着死尸，踩着肠肚，涉过血泊，无辜的百姓死了的布满沼泽，而国家的存亡、君主的生死还是不可知，这些人距离仁义也太远了。

贵卒

【原文】

力贵突，智贵卒。得之同则速为上，胜之同则湿为下。所为贵骥者，为其一日千里也，旬日取之，与驽骀同。所为贵镞矢者，为其应声而至，终日而至，则与无至同。

吴起谓荆王曰："荆所有馀者，地也；所不足者，民也。今君王以所不足益所有馀，臣不得而为也。"于是令贵人往实广虚之地。皆甚苦之。荆王死，贵人皆来，尸在堂上，贵人相与射吴起。吴起号呼曰："吾示子吾用兵也。"拔矢而走，伏尸插矢而疾言曰："群臣乱王。"吴起死矣。且荆国之法，丽兵于王尸者，尽加重罪，逮三族。吴起之智，可谓捷矣。

齐襄公即位，憎公孙无知，收其禄。无知不悦，杀襄公。公子纠走鲁，公子小白奔莒。既而国人杀无知，未有君，公子纠与公子小白皆归，俱至，争先入公家。管仲扜弓射公子小白，中钩。鲍叔御，令公子小白僵。管子以为小白死，告公子纠曰："安之。公子小白已死矣。"鲍叔因疾驱先入，故公子小白得以为君。鲍叔之智应射而令公子小白僵也，其智若镞矢也。

周武君使人刺伶悝于东周。伶悝僵，令其子速哭曰："以谁刺杀我父也？"刺者闻，以为死也，以报周君。周君以为不信，因厚罪之。

赵氏攻中山。中山之人多力者曰吾丘鸩，衣铁甲操铁杖以战，而所击无不碎，所冲无不陷，以车投车，以人投人也。几至将所而后死。

【译文】

使用武力贵在迅猛，运用智慧贵在快捷。获得的条件相同，则以快速为上；获胜的可能性相同，慢条斯理就等而下之。之所以把良马看得重，是因为它能日行千里；如果十天才能跑一千里，就和劣马一样了。之所以把利箭看得重，是因为它能应声而至；如果要一整天才能射中靶子，这同射不到就没有什么两样了。

吴起对楚王说："楚国所多的是土地，所不足的是百姓。如今君王拿本就不足的百姓进行攻战，来增加本来就多的土地，这样我就不能治理国家了。"于是楚王命令贵族充实到旷野人烟稀少的地带，这些人都叫苦连天。楚王死后，贵族们都来了，楚王的尸体还停在堂上，贵族就一齐用箭来射吴起。吴起高声喊道："我要告诉你们我不要用兵了！"他拔掉身上的箭就逃跑，伏在楚王尸体上，把箭插在上面，大声说："群臣作乱正射楚王！"吴起就这样死去了。按楚国的法律规定。将兵器附在国王尸体上的人，全都施以重罪，株连三族。吴起使贵族们受惩罚的智慧，可说是够敏捷的了。

齐襄公即位，他憎恨公孙无知，收回了他的俸禄。公孙无知不高兴，杀了齐襄公。襄公的儿子公子纠出奔鲁国，公子小白出奔莒国。

后来国人杀了公孙无知，齐国没有国君了，公子纠和公子小白都回国来，一同到达国都，都抢着想先进入宫廷。管仲拉起弓射击公子小白，射中了他的带钩。鲍叔牙给小白驾车，要公子小白僵卧着。管仲以为小白死了，告诉公子纠说："放心吧，公子小白已经死了。"鲍叔牙因而快速驾车先入宫廷，所以公子小白能够当上国君。鲍叔牙将计就计让中箭的小白僵卧装死，他的智慧真像利箭一样敏捷啊。

西周的周武君派人到东周刺杀东周大臣伶悝，伶悝僵卧装死，要他的儿子迅即哭着说："这是谁刺死了我的父亲呀？"刺客听到了，以为伶悝被刺死了，便回国复命，周武君得知伶悝未死以为他不诚实，因而重重地惩罚了他。

赵国进攻中山国。中山国有个大力士叫做吾丘鸩，他穿着铁甲，拿着铁杖作战，他所打击的对象无不破碎，他所冲向的地方无不陷落，遇到敌方的战车就击车，遇着敌人的人就击人，差不多打到敌方主将所在地才被杀死。

疑　似

【原文】

使人大迷惑者，必物之相似者也。玉人之所患，患石之似玉者；相剑者之所患，患剑之似吴干者；贤主之所患，患人之博闻辩言而似通者。亡国之主似智，亡国之臣似忠。相似之物，此愚者之所大惑，而圣人之所加虑也。故墨子岐道而哭之。

周宅酆、镐，近戎人。与诸侯约，为高葆祷于王路，置鼓其上，远近相闻。即戎寇至，传鼓相告，诸侯之兵皆至，救天子。戎寇尝至，幽王击鼓，诸侯之兵皆至，褒姒大悦而笑，喜之。幽王欲褒姒之笑也，因数击鼓，诸侯之兵数至而无寇。至于后戎寇真至，幽王击鼓，诸侯兵不至。幽王之身乃死于丽山之下，为天下笑。此夫以无寇失真寇者也。贤者有小恶以致大恶，褒姒之败，乃令幽王好小说以致大灭。故形骸相离，三公九卿出走。此褒姒之所用死，而平王所以东徙也，秦襄、晋文之所以劳王而赐地也。

梁北有黎丘部，有奇鬼焉，善效人之子侄昆弟之状。邑丈人有之市而醉归者，黎丘之鬼效其子之状，扶而道苦之。丈人归，酒醒，而诮其子，曰："吾为汝父也，岂谓不慈哉？我醉，汝道苦我，何故？"其子泣而触地曰："孽矣！无此事也。昔也往责于东邑人，可问也。"其父信之，曰："嘻！是必夫奇鬼也，我固尝闻之矣。"明日端复饮于市，欲遇而刺杀之。明旦之市而醉，其真子恐其父之不能反也，遂逝迎之。丈人望其真子，拔剑而刺之。丈人智惑于似其子者，而杀于真子。夫惑于似士者而失于真士，此黎丘丈人之智也。疑似之迹，不可不察。察之必于其人也。舜为御，尧为左，禹为右，入于泽而问牧童，入于水而问渔师，奚故也？其知之审也。夫孪子之相似者，其母常识之，知之审也。

【译文】

使人最迷惑的，必定是相似的事物。玉匠所担心的，是类似玉那样的石块；鉴定宝剑的人所担心的，是类似吴国"干将"那样的剑；贤明的国君所担心的，是那些见闻广博、能说会道，看来似乎通达的人。亡国的国君看来似乎聪明，亡国的臣子看来似乎忠贞。相似的事物，是愚蠢的人极易被迷惑的，而是圣明的人所反复慎重考虑的。所以墨子见到染丝就哭泣，因为白丝放在染缸里可变黄可变黑，杨子看到岔道就掉泪，因为它可以通向南方也可以通向北方。

周朝定都在酆地和镐地，靠近戎族部落的人，国君与诸侯约定，在大路上建造高堡，把大鼓安置在上面，使远近都可以听见鼓声。如果戎兵来犯，便敲鼓转相告警，诸侯的军队便都赶来营救天子。一次，戎

兵曾来侵犯，周幽王擂响了鼓，诸侯的军队都赶来了，宠妃褒姒十分高兴地笑了，她很喜欢这种“游戏”。幽王为了想看到褒姒的笑容，就一次又一次地擂鼓，诸侯的军队一次又一次地赶来，却没有看到敌寇。等到后来戎兵真的来了，幽王擂响大鼓，诸侯的军队却不来了。幽王本人因而就死在骊山脚下，被天下人所耻笑。这是因为当没有敌寇来犯时他多次戏弄诸侯，而真的有敌寇入侵时却铸成大错。贤者有小过错，发展下去也会成为大罪过。褒姒酿成的这场祸患，竟使幽王因喜好小小的快活而导致灭亡之灾，结果身首分离，三公九卿出逃，这就是褒姒断送了性命，周平王东迁到洛邑，秦襄公、晋文侯得以率军勤王得到赏地的原因。

梁国北方有个地方叫黎丘部，那里有一个很奇特的鬼，善于仿效别人子侄兄弟的样子。邑中有个老人去集市上，喝醉了酒回家，黎丘部的鬼便仿效他儿子的样子，在路上搀扶着他，却让他受折磨。老人回到家里，酒醒后就责怪他儿子，说：“我是你父亲，难道说不慈爱你吗？我喝醉了，你却在路上让我受折磨，为什么呀？”他儿子哭着用头撞地说：“造孽啊！没有这回事。日前，我向东乡人讨债去了，您可以去查问。”他父亲相信了这话，说：“噢！这必定是那个奇特的鬼在作祟，我本曾听说过。”第二天这个老人特意到集市上去饮酒，想遇见那个鬼，杀掉它。第二天他到集市上又喝醉了。他的亲儿子怕父亲不能回家，就去迎接他。老人望见自己的亲儿子，拔出剑就去刺杀他。老人被像自己儿子的鬼所迷惑，却杀死了自己的亲儿子。那些被貌似贤士的人所迷惑，而失去了真正贤士的人，其心智与黎丘部的老人一样糊涂。所以类似的迹象，不可不明察。要明察就必须找那些熟谙事理的人。舜帝赶马车，尧帝在左边做助手，大禹在右边做护卫，车子行进到草泽地带就向牧童问路，车子行进到水乡就向渔夫问路，什么原因呢？因为只有他们才知道得详细。双胞胎儿子彼此长得很相像，他们的母亲总能分辨出来，这也是因为母亲了解儿子最详细。

求　人

【原文】

身定、国安、天下治，必贤人。古之有天下也者七十一圣，观于《春秋》，自鲁隐公以至哀公十有二世，其所以得之，所以失之，其术一也。得贤人，国无不安，名无不荣；失贤人，国无不危，名无不辱。先王之索贤人无不以也，极卑极贱，极远极劳。虞用宫之奇，吴用伍子胥之言，此二国者，虽至于今存可也，则是国可寿也。有能益人之寿者，则人莫不愿之。今寿国有道，而君人者而不求，过矣。

尧传天下于舜，礼之诸侯，妻以二女，臣以十子，身请北面朝之：至卑也。伊尹，庖厨之臣也；傅说，殷之胥靡也，皆上相天子：至贱也。禹东至榑木之地，日出九津，青羌之野，攒树之所，揞天之山，鸟谷、青丘之乡，黑齿之国；南至交趾、孙朴、续樠之国，丹粟、漆树、沸水、漂漂、九阳之山，羽人、裸民之处，不死之乡；西至三危之国，巫山之下，饮露吸气之民，积金之山，其肱、一臂、三面之乡；北至人正之国，夏海之穷，衡山之上，犬戎之国，夸父之野，禺强之所，积冰、积石之山。不有懈堕，忧其黔首，颜色黎黑，窍藏不通，步不相过，以求贤人，欲尽地利：至劳也。得皋陶、伯益、真窥、横革、之交五人佐禹，故功绩铭乎金石，著于盘盂。

昔者尧朝许由于沛泽之中，曰："十日出而焦火不息，其于光也，不亦难乎？时雨降矣，而犹浸灌，其于泽也，不亦劳乎？夫子为天子，而天下已治矣，请属天下于夫子。"许由辞曰："为天下之不治与？而既已治矣。自为与？啁噍巢于林，不过一枝；偃鼠饮于河，不过满腹。归已君乎！恶用天下？"遂之箕山之下，颍水之阳，耕而食，终身无经天下之色。故贤主之于贤者也，物莫之妨，戚爱习故，不以害之，故贤者聚焉。贤者所聚，天地不坏，鬼神不害，人事不谋，此五常之本事也。

皋子，众疑取国，召南宫虔、孔伯产而众口止。

晋人欲攻郑，令叔向聘焉，视其有人与无人。子产为之诗曰："子惠思我，褰裳涉洧；子不我思，岂无他士？"叔向归曰："郑有人，子产在焉，不可攻也。秦、荆近，其诗有异心，不可攻也。"晋人乃辍攻郑。孔子曰："《诗》云：'无竞惟人。'子产一称而郑国免。"

【译文】

要想自身安定、国家安宁、天下治平，必须依靠贤人。古代拥有天下的人，有七十一个圣人。通览《春秋》，从鲁隐公至鲁哀公一十二代国君,他们之所以拥有天下或失去天下,道理只有一个:凡得到贤人的帮助,国家无不安定,功名无不荣显;凡失去贤人的帮助,国家无不危险,名声无不被玷辱。先王访求贤人没有不重用的,哪怕其人极其卑贱,哪怕其人极其遥远,访求极其辛劳。虞国运用宫之奇的奇谋,吴国采纳伍子胥的话,这两个国家即使到现在还可能保存下来,这样的国家国运就该长久。有能够给别人增加寿命的人,人们就没有不仰慕他的。如今有办法使国运长久,而统治者却不去寻求,这就错了。

尧把天下传授给舜,在诸侯面前尊敬他,把两个女儿嫁给他,让自己的十个儿子向他称臣,自己愿意面向北面称臣朝拜他,表现得极其谦卑。伊尹是个出身于厨师的臣子;傅说,是殷代一个服刑的囚犯。他们本极卑贱,后来都处于辅助天子的相国高位。大禹往东到了榑木地区、日出九津、青羌的旷野、攒树地方、播天山区,鸟谷、青丘之乡,黑齿国;往南到了交趾、孙朴、续樠等小国,丹粟、漆树、沸水、漂漂、九阳等山区,羽人、裸民之住所,不死之国;往西到了三危国,巫山下,饮露国、吸气国,积金山,共肱、一臂、三面等国;往北到了人正国,夏海之滨,衡山之上,犬戎国,夸父、禺强等地,积冰、积石等山区。他不曾怠惰过,为百姓操劳,脸色黧黑,九窍六脏已郁结不通,步子也迈不动了,为了访求贤人,想尽力开发地利,辛劳极了,结果得到皋陶、伯益、真窥、横革、之交五人辅佐大禹,所以他的功绩铭刻在钟鼎、石碑之上,写在盘盂上面。

从前尧在沛泽朝见许由,说:“十个太阳出来了,然而火炬却不熄灭,这对于与日争光来说,岂不是太难了吗?甘霖落下了,您还去灌溉,这对于润泽禾苗来说岂不是徒劳吗?如果您做天子,天下就定会得到治理,我请求把天下托付给您。”许由推辞说:“是因为天下得不到治理吗?您已经把天下治理好了。为我自己打算而去做天子吗?小鸟鹪鹩在林中筑巢,只不过需要一根树;鼹鼠在河里饮水,只不过求得喝满肚子。您回去吧!我用不着拥有整个天下。”于是许由来到箕山脚下,颍水以北,以耕种为生,一辈子也没有要求治理天下的表示。所以贤君对于贤者,任何事物都不能妨碍去重用他们,亲戚故旧、宠信近臣都不能妨害他们,这样,贤者都汇集在君主周围了。贤者汇集的国度,天地不能毁坏它,鬼神不能伤害它,任何人也不能扰乱它,这是君臣、父子、兄弟、夫妇、朋友关系的根本。

皋子,众人都怀疑他篡国,他召来南宫虔、孔伯产两位贤者,因而众人的议论就平息了。

晋国人想进攻郑国,派叔向访问郑国,以窥探那里有没有贤人。叔向到了郑国,子产为他作诗,说:“蒙你惠爱想念我,撩起衣裙过洧河;倘若你不想念我,岂无他人可求索?”叔向回国报告说:“郑国有贤人。子产在那里,不能进攻呀。秦国和楚国都是郑国的近邻,子产的诗别有用心,不可进攻郑国呀。”晋国人于是停止进攻郑国的计划。孔子说:“《诗经》上说:‘要使国家强大,全在求得贤人。’子产一首诗,就使郑国免遭侵略。”

贵　直

【原文】

贤主所贵莫如士。所以贵士，为其直言也。言直则枉者见矣。人主之患，欲闻枉而恶直言。是障其源而欲其流也，水奚自至？是贱其所欲而贵其所恶也，所欲奚自来？

能意见齐宣王。宣王曰："寡人闻子好直，有之乎？"对曰："意恶能直？意闻好直之士，家不处乱国，身不见污君。今身得见王，而家宅乎齐，意恶能直？"宣王怒曰："野士也！"将罪之。能意曰："臣少而好事，长而行之，王胡不能与野士乎，将以彰其所好耶？"王乃舍之。能意者，使谨乎论于主之侧，亦必不阿主。不阿主，主之所得岂少哉？此贤主之所求，而不肖主之所恶也。

狐援说齐湣王曰："殷之鼎陈于周之廷，其社盖于周之屏，其干戚之音，充人之游。亡国之音不得至于庙；亡国之社不得见于天；亡国之器陈于廷，所以为戒。王必勉之，其无使齐之大吕陈之廷，无使太公之社盖之屏，无使齐音，充人之游。"齐王不受，狐援出而哭国三日，其辞曰："先出也，衣絺纻；后出也，满囹圄。吾今见民之洋洋然东走而不知所处。”齐王问吏曰：“哭国之法若何？”吏曰：“斮。”王曰：“行法！”吏陈斧质于东闾，不欲杀之，而欲去之。狐援闻而蹶往过之。吏曰：“哭国之法斮。先生之老欤？昏欤？”狐援曰：“曷为昏哉？”于是乃言曰：“有人自南方来，鲋入而鲵居，使人之朝为草而国为墟。殷有比干，吴有子胥，齐有狐援。已不用若言，又斮之东闾。每斮者以吾参夫二子者乎！”狐援非乐斮也，国已乱矣，上已悖矣，哀社稷与民人，故出若言。出若言非平论也，将以救败也，固嫌于危。此触子之所以去之也，达子之所以死之也。

赵简子攻卫，附郭。自将兵，及战，且远立，又居于犀蔽犀橹之下。鼓之而士不起，简子投桴而叹曰：“呜呼！士之速弊一若此乎？”行人烛过免胄横戈而进曰：“亦有君不能耳，士何弊之有？”简子艴然作色曰：“寡人之无使，而身自将是众也，子亲谓寡人之无能，有说则可，无说则死。”对曰：“昔吾先君献公即位五年，兼国十九，用此士也。惠公即位二年，淫色暴慢，身好玉女，秦人袭我，逊去绛七十里，用此士也。文公即位二年，砥之以勇，故三年而士尽果敢；城濮之战，五败荆人；围卫取曹，拔石社；定天子之位，成尊名于天下，用此士也。亦有君不能耳，士何弊之有？”简子乃去犀蔽犀橹，而立于矢石之所及，一鼓而士毕乘之。简子曰：“与吾得革车千乘也，不如闻行人烛过之一言。”行人烛过可谓能谏其君矣，战斗之上，枹鼓方用，赏不加厚，罚不加重，一言而士皆乐为其上死。

【译文】

贤明的君主崇尚的莫过于士人。之所以崇尚士人，是因为士人敢于直言。说话耿直就使乖僻行径暴露无遗了。国君的祸患，就在于想知道乖僻行径而又厌恶耿直的话，这等于是堵塞水源却想要水流，水从哪里流来呢？所以鄙视自己所追求的，而看重所憎恶的，那么所追求的怎能得到呢？

齐人能意进见齐宣王。宣王说：“我听说你喜欢说直话，有这回事吗？”能意回答说：“我哪里能说直话呢？我听说喜欢说直话的人，家不住在混乱的国家里，本人不见恶浊的国君。我现在能见到大王，而家又住在齐国，哪能算说直话的人呢？”宣王恼怒说：“村野之人！”准备治他的罪。能意说：“我从小就喜欢争辩，长大以后就身体力行，大王为什么不能喜欢我这样的村野之人呢？这样，将能表彰他们争辩的爱好呀！”宣王于是饶恕了他。能意这样的人，假使他能在君主身边小心地发表言论，也必定不会去阿谀奉承君主。不阿谀奉承君主，君主所得到的帮助难道少吗？这正是贤明君主所追求的，而是不肖的君主所厌恶的。

狐援劝谏齐湣王说：“商朝的鼎陈列在周代的朝廷上，商朝的土神庙被周人掩盖在庐棚里，用盾牌、斧头演奏的舞乐，回荡在人们的游乐场中。亡国的音乐，不得进入宗庙；亡国的土神庙，不得暴露在光天化日之下；而亡国的器皿陈列在朝廷上，为的是引以为戒。大王一定要努力呀，千万不要让齐国的大吕钟陈列在别国的朝廷上，不要让田氏太公的土神庙被掩盖在别国的庐棚里，不要让齐国的音乐充斥于人们的游乐场中。”齐王不肯接受他的意见。狐援退了出来，为国家痛哭了三天，他哭道：“先离开的人，还能做个自由民；后离开的人，将被关满在牢狱中。我如今将看到齐国人民成群结队地东逃，不知归向何处。”齐王问官吏说：“对为国痛哭的，法律如何制裁？”官吏说：“当斩。”齐王说：“执行法律。”官吏便在东门口摆好斧头和砧板，但不想杀狐援，想放走他。狐援听说后踉踉跄跄逃过东门。官吏说：“痛哭国家的，依法当斩。您先生是老糊涂了呢，还是发昏了呢？”狐援说：“哪里是发昏了呢？”他于是说：“有人从南方来，像小鲋鱼一样依附别人，却像大鲸鲵一样居心狠毒，使别人的朝廷变成草野、国家变成废墟。商朝有比干，吴国有伍子胥，齐国就有我狐援。君王既不采纳我的话，又要在东门杀死我。打算杀我的人是把我看成能与比干、伍子胥并列的人吧！”狐援并不是乐意被斩，国家已经混乱了，国君已经悖乱了，他哀怜的是国家和人民，因此说出这样的话来。说出这样的话并不只是清谈，而是要以此来挽救败亡，所以才冒着危险，仗义执言。齐国混乱，齐王昏庸，这是齐帅触子为什么会逃离、代替他的达子为什么会战死的原因。

赵简子攻打卫国国都的外城，亲自带兵。等到交战之时，他站得远远的，又待在犀皮做的盾牌之下，当他敲响战鼓时，士兵却不发起冲锋。赵简子丢下鼓槌叹息说：“哎呀！士兵怎么这么快就糟糕到这种地步了啊？”行人烛过取下头盔、横着戈上前说：“世上只有无能的国君，士兵有什么糟糕的？”赵简子脸色突变，说：“我无人可以使唤，才亲自率领众人作战，你当面说我无能，若说得出理由就行，说不出理由就要处死你。”行人烛过回答说：“从前我们的先君晋献公即位五年，兼并了十九个国家，用的是这些士兵。晋惠公即位两年，好色淫乱，暴虐傲慢，宠爱美女，秦国人袭击我们，我们退到了离绛地七十里的地方，也是用的这些士兵。晋文公即位两年，以勇武激励他们，因此三年之后士兵全都变得勇敢了；在城濮之战中，五次打败了楚国人；围攻卫国，夺取曹国，攻克石社；稳定天子周襄王的地位，在世上成就了自己崇高的霸主名声，用的也是这些士兵。世上只有无能的国君，士兵有什么糟糕的？”赵简子便去掉蒙上犀皮的盾牌，站到箭矢飞石射程之内，这时一敲响战鼓，士兵们都趁势前冲。赵简子说：“我与其得到革制的战车一千辆，不如听到行人烛过的一席话。”行人烛过可说是善于规劝自己君主的了，在战斗之间，战鼓刚刚擂响，赏赐不用增多，惩罚不用加重，只一席话就能使士卒都乐意为自己的君主卖命。

原　乱

【原文】

乱必有弟，大乱五，小乱三，讠川(一作“讨”)乱三，故《诗》曰：“毋过乱门。”所以远之也。虑福未及，虑祸过之，所以完之也。武王以武得之，以文持之，倒戈弛弓，示天下不用兵，所以守之也。

晋献公立骊姬以为夫人，以奚齐为太子，里克率国人以攻杀之。荀息立其弟公子卓。已葬，里克又率国人攻杀之。于是晋无君。公子夷吾重赂秦以地而求入，秦缪公率师以纳之，晋人立以为君，是为惠公。惠公既定于晋，背秦德而不予地。秦缪公率师攻晋，晋惠公逆之，与秦人战于韩原。晋师大败，秦获惠公以归，囚之于灵台。十月，乃与晋成，归惠公而质太子圉。太子圉逃归也。惠公死，圉立为君，是为怀公。秦缪公怒其逃归也，起奉公子重耳以攻怀公，杀之于高梁，而立重耳，是为文公。文公施舍，振废滞，匡乏困，救灾患，禁淫慝，薄赋敛，宥罪戾，节器用，用民以时，败荆人于城濮，定襄王，释宋围，出谷戍，外内皆服，而后晋乱止。故献公听骊姬，近梁五、优施，杀太子申生，而大难随之者五，三君死，一君虏，大臣卿士之死者以百数，离咎二十年。自上世以来，乱未尝一。而乱人之患也，皆曰一而已，此事虑不同情也。事虑不同情者，心异也。故凡作乱之人，祸希不及身。

【译文】

祸乱总有个发展过程，晋国曾经发生五次大乱，三次小乱，讨平祸乱三次，所以有诗句说："不要跨过祸乱之门。"为的是远避祸乱。考虑幸福不要指望太高，考虑祸乱就要估计得严重些，为的是免遭祸乱。周武王以武力夺得天下，用文治来保持它，并将戈倒挂起来，把弓放松，向天下的人表示不再用兵，为的是守住既成的王业。

晋献公立骊姬为夫人，以奚齐为太子。当晋献公死后，大夫里克便率领国人，杀死了奚齐。大夫荀息拥立奚齐的弟弟公子卓。把奚齐安葬完毕后，里克又率领国人，杀死了公子卓。于是晋国没有国君了。公子夷吾把大量国土送给秦国，企求送他回国，秦穆公率领军队把公子夷吾送回了晋国，晋国人拥立他为国君，这就是晋惠公。惠公在晋国稳定了地位以后，就背弃秦国的恩德，不给他们国土。秦穆公便率

军进攻晋国，晋惠公迎战，与秦军在韩原交战，晋军大败，秦军俘获惠公回国，把他囚禁在灵台。这年十月，秦国与晋国达成协议，归还惠公，而把太子圉作为人质。太子圉逃回晋国。惠公死后，太子圉立为国君，即晋怀公。秦穆公恼怒太子圉逃回晋国，便扶植公子重耳以进攻怀公，把怀公杀死在高梁地，于是立重耳为国君，即晋文公。晋文公广施恩泽，振兴被废滞的事业，匡救贫困之人，救助遭灾百姓，禁止淫邪，减轻赋税，宽恕罪犯，节省费用，按时令季节役使民众，在城濮一仗便打败了楚国，稳定了天子周襄王的地位，并为宋国解围，迫使楚国撤出戍守在齐国谷城的部队，因而国内外都顺服晋文公，此后晋国的祸乱便停止了。由此看来，晋献公听信骊姬，亲近梁五、优施等佞臣，杀死太子申生，因而大难五次接踵而来，三位国君被杀死，一位国君被秦俘虏，大臣卿士死难的数以百计，晋国遭受了二十年灾难。自古以来，祸乱从没有只发生一次的，而祸乱之人带来的祸乱，就在于认为祸乱仅只一次。这就是由于遇事考虑不合实情。遇事之所以考虑不合实情，就由于存心有异。所以凡是作乱的人，很少有自身不被祸乱所连累的。

不　苟

【原文】

贤者之事也，虽贵不苟为，虽听不自阿，心中理然后动，必当义然后举。此忠臣之行也，贤主之所说，而不肖主虽不说。非恶其声也。人主虽不肖，其说忠臣之声与贤主同，行其实则与贤主有异。异，故其功名祸福亦异。异，故子胥见说于阖闾而恶乎夫差，比干生而恶于商，死而见说乎周。

武王至殷郊，系堕。五人御于前，莫肯之为，曰："吾所以事君者非系也。"武王左释白羽，右释黄钺，勉而自为系。孔子闻之曰："此五人者之所以为王者佐也，不肖主之所弗安也。"故天子有不胜细民者，天下有不胜千乘者。

秦缪公见戎由余，说而欲留之，由余不肯。缪公以告蹇叔。蹇叔曰："君以告内史廖。"内史廖对曰："戎人不达于五音与五味，君不若遗之。"缪公以女乐二八与良宰遗之。戎王喜，迷惑大乱，饮酒，昼夜不休。由余骤谏而不听，因怒而归缪公也。蹇叔非不能为内史廖之所为也，其义不行也。缪公能令人臣时立其正义，故雪殽之耻，而西至河雍也。

秦缪公相百里奚，晋使叔虎、齐使东郭蹇如秦，公孙枝请见之。公曰："请见客，子之事欤？"对曰："非也。""相国使子乎？"对曰："不也。"公曰："然则子事非子之事也。秦国僻陋戎夷，事服其任，人事其事，犹惧为诸侯笑。今子为非子之事！退！将论而罪。"公孙枝出，自敷于百里氏。百里奚请之。公曰："此所闻于相国欤？枝无罪奚请？有罪奚请焉？"百里奚归，辞公孙枝。公孙枝徙，自敷于街。百里奚令吏行其罪。定分治官，此古人之所以为法也。今缪公向之矣，其霸西戎，岂不宜哉？

晋文公将伐邺，赵衰言所以胜邺之术，文公

用之，果胜。还，将行赏。衰曰："君将赏其本乎？赏其末乎？赏其末，则骑乘者存；赏其本，则臣闻之郤子虎。"文公召郤子虎曰："衰言所以胜郢，郢既胜，将赏之，曰：'盖闻之于子虎，请赏子虎。'"子虎曰："言之易，行之难。臣言之者也。"公曰："子无辞。"郤子虎不敢固辞，乃受矣。凡行赏欲其博也，博则多助。今虎非亲言者也，而赏犹及之，此疏远者之所以尽能竭智者也。晋文公亡久矣，归而因大乱之余，犹能以霸，其由此欤？

【译文】

贤者办事，即使地位尊贵，也不苟且乱来；即使被君主所听信，也不阿谀奉承，定要符合情理然后才行动，定要符合道义然后才去做，这是忠臣的行为。为贤君所喜欢的，不贤的君主虽然不喜欢，但并不厌恶忠臣的名声。国君即使不贤，他们喜欢忠臣的名声与贤君是相同的，但实际行动起来就与贤君不同。因为有这样的差异，所以他们的功名和祸福也不一样。因为有差异，所以伍子胥被阖闾所喜欢，而被夫差所厌恶，比干生前被商纣王所厌恶，死后却被周武王所喜欢。

周武王来到商朝国都郊外，鞋带子掉了。有五个人侍候在他跟前，却不肯为他系鞋带子，他们说："我们侍奉国君应做的并不是系鞋带子。"武王左手放下白色羽毛旗，右手放下黄铜斧，自己吃力地系上鞋带。孔子听了这事，说："这种行为正说明这五个人是帝王的得力助手，这也正是不贤的君主所感到不安的。"由此可见，天子有时也胜不过小民，拥有天下的大国有时也不能制服一个千乘小国。

秦穆公见到西戎的大臣由余，很高兴，想留住他，由余不肯。穆公把这事告诉上大夫蹇叔，蹇叔说：“您把这事告诉内史廖吧。”穆公告诉了内史廖，内史廖回答说：“西戎人不知道什么是五音和五味，您不如把乐师和厨师送给他们。”穆公便将歌舞伎十六人和一些好的厨师送给了戎王。戎王很高兴，被乐舞和美味弄得十分迷乱，饮酒作乐，日夜不停。由余屡次进谏，而戎王不听，他一怒之下便投归秦穆公了。蹇叔并非不能想出内史廖所想的计谋，只是这样做是不符合道义的所以才不做。穆公能够使臣子时时坚持正义，因此能够洗刷在殽山损兵折将的耻辱，而使疆域拓展到河雍一带。

秦穆公任命百里奚为相国，晋国派大夫叔虎、齐国派大臣东郭蹇来到秦国，秦大夫公孙枝请求接见他们。穆公说：“请求接见外宾，是你分内的事吗？”回答说：“不是的。”穆公说：“是相国指派你的吗？”回答说：“不是。”穆公说：“既然如此，那么你做的并不是你该做的事。秦国偏僻荒远，靠近戎、夷等少数民族，且事事有专职，人人尽己责，即便这样，仍担心被诸侯耻笑。如今你做了不属于你分内的事，退下去，我将要办你的罪。”公孙枝退出后，亲自向百里奚说明情况。百里奚替他求情，穆公说：“这是你相国所听说的么？公孙枝如果无罪，你何必为他求情？如果他有罪，你又何必为他向我求情呢？”百里奚回来后，谢绝了公孙枝。公孙枝在街上走，向过路人陈述自己的冤屈。百里奚命令官吏办公孙枝的罪。依据规定的职分管理官吏，这是古人制定法度的原则。现在秦穆公追寻古人的法则，他称霸西戎，难道不应该吗？

晋文公将要讨伐邺国，大夫赵衰提出了战胜邺国的方略，晋文公采纳了，果然得胜。回国后，准备行赏。赵衰说：“您打算奖赏在讨邺战争中起了根本作用的人呢，还是奖赏那些功劳微薄的人呢？若是奖赏功劳微薄的人，那么骑马乘车冲锋陷阵的人都在那里，如果奖赏起了根本作用的人,那么我的方略都是从郤子虎那里听来的。”晋文公把郤子虎召来,说:“赵衰提出了战胜邺国的方略,邺国已经战胜,我打算奖赏他,他却说:‘这些方略都是从子虎那里听来的,请求奖赏子虎。’”子虎说:“说一说倒容易,实行起来就困难了,我只是个说一说的人呀。”晋文公说:“你不要推辞了。”郤子虎不敢坚决推辞,就接受了奖赏。凡是实行奖赏,要做到广博,广博就能得到更多人的帮助。如今郤子虎并不是亲自向晋文公进言的人,但行赏还是包括了他,这是使疏远的人能竭尽才智的原因。晋文公逃亡在外很久,回国后在大乱的基础上还能称霸于诸侯,大概就是由于这个原因吧!

自　知

【原文】

欲知平直，则必准绳；欲知方圆，则必规矩；人主欲自知，则必直士。故天子立辅弼，设师保，所以举过也。夫人故不能自知，人主尤甚。存亡安危，勿求于外，务在自知。

尧有欲谏之鼓，舜置诽谤之木，汤有司过之士，武王有戒慎之鼗，犹恐不能自知，今贤非尧、舜、汤、武也，而有掩蔽之道，奚由自知哉？

荆成、齐庄不自知而杀，吴王、智伯不自知而亡，宋、中山不自知而灭，晋惠公、赵括不自知而虏，钻荼、庞涓、太子申不自知而死，故败莫大于不自知。

范氏之亡也，百姓有得其钟者，欲负而走，则钟大不可负。以椎毁之，钟况然有音，恐人闻之而夺己也，遽掩其耳。恶人闻之可也，恶己自闻之，悖矣。为人主而恶闻其过，非犹此也？恶人闻其过尚犹可，恶己自闻其过悖矣。

魏文侯燕饮，皆令诸大夫论己。或言君之智也。至于任座，任座曰："君不肖君也。得中山不以封君之弟，而以封君之子，是以知君之不肖也。"

文侯不悦，知于颜色。任座趋而出。次及翟黄，翟黄曰："君贤君也，臣闻其主贤者，其臣之言直。今者任座之言直，是以知君之贤也。"文侯喜曰："可反欤？"翟黄对曰："奚为不可？臣闻忠臣毕其忠，而不敢远其死。座殆尚在于门。"翟黄往视之，任座在于门，以君令召之。任座入，文侯下阶而迎之，终座以为上客。文侯微翟黄，则几失忠臣矣。上顺乎主心以显贤者，其唯翟黄乎？

【译文】

要知道物体是否平直，就必须有准绳；要知道物体是方是圆，就必须有圆规和矩尺；国君要有自知之明，就必须有正直的人。所以天子设置辅佐大臣，设置太师、保傅，为的是指出他的过错。人本就难以了解自己的过失，国君更是如此。存亡安危，不要去找外因，主要在于是否有自知之明。

尧帝设置了敢于进谏敲的鼓，舜帝设置了书写批评之词的木板，商汤王设有"司直"的官员，周武王设有告诫自己谨慎的鼗鼓，他们还担心不能了解自己的过失。今人没有尧、舜、商汤和周武王贤明，却有掩饰过错的门道，这样，何从了解自己的过失呢？

楚成王、齐庄公不了解自己的过失而遭杀害，吴王夫差、智伯瑶不了解自己的过失而被灭亡，宋康王、中山王不了解自己的过失而亡国，晋惠公、赵括不了解自己的过失而成了俘虏，魏将钻荼、庞涓、太子申不了解自己的过失而被杀。因此，没有比不了解自己的过失更坏的事了。

晋国大夫范氏灭亡后，有百姓得到了他的一座钟，想背着跑，但钟太大，背不起，就用锤子把它敲破，钟锵锵地发声，这人害怕别人听见后从自己手中夺去，就迅速捂住自己的耳朵。害怕别人听到钟声是可以的，害怕自己听到就太糊涂了。做国君的厌恶听到自己的过错，不也是这样的吗？厌恶别人知道自己的过错还可以说得过去，厌恶自己知道自己的过错就太不可理喻了。

魏文侯设宴饮酒，叫众多的大夫都谈论自己。有人说国君是明智的。轮到任座，任座说："国君是个不贤的君主，夺得了中山国不把它分封给您的弟弟，却把它分封给您的儿子，因此可知您是个不贤的国君。"魏文侯不高兴，表现在脸色上。任座快步退了出去。依次轮到翟黄，翟黄说："您是个贤明的国君。我听说国君贤明的，他臣子说话就耿直。刚才任座的话很耿直，因此可知您的贤明。"魏文侯高兴地说："可以让任座回来吗？"翟黄回答说："为什么不可以呢？我听说忠臣竭尽忠心，而不肯远避死亡。任座大概还等在门外。"翟黄走出去看，任座就在门外，他传达国君的命令召他回去。任座走进去，魏文侯走下台阶迎接他，此后，任座终生被文侯待如上宾。文侯若没有翟黄，就差一点失去忠臣了。对上顺应君主的心意而使贤者受到荣显的，大概只有翟黄吧！

贵 当

【原文】

名号大显，不可强求，必由其道。治物者不于物于人，治人者不于事于君，治君者不于君于天子，治天子者不于天子于欲，治欲者不于欲于性。性者，万物之本也，不可长，不可短，因其固然而然之，此天地之数也。窥赤肉而乌鹊聚，狸处堂而众鼠散，衰绖陈而民知丧，竽瑟陈而民知乐，汤、武修其行而天下从，桀、纣慢其行而天下畔，岂待其言哉？君子审在己者而已矣。

荆有善相人者，所言无遗策，闻于国，庄王见而问焉。对曰："臣非能相人也，能观人之友也。观布衣也，其友皆孝悌纯谨畏令，如此者，其家必日益，身必日荣，此所谓吉人也。观事君者也，其友皆诚信有行好善，如此者，事君日益，官职日进，此所谓吉臣也。观人主也，其朝臣多贤，左右多忠，主有失，皆交争证谏，如此者，国日安，主日尊，天下日服，此所谓吉主也。臣非能相人也，能观人之友也。"庄王善之，于是疾收士，日夜不懈，遂霸天下。故贤主之时见文艺之人也，非特具之而已也，所以就大务也。夫事无大小，固相与通。田

猎驰骋，弋射走狗，贤者非不为也，为之而智日得焉，不肖主为之而智日惑焉。《志》曰："骄惑之事，不亡奚待？"

齐有好猎者，旷日持久而不得兽，入则愧其家室，出则愧其知友州里。惟其所以不得之故，则狗恶也。欲得良狗，则家贫无以。于是还疾耕，疾耕则家富，家富则有以求良狗，狗良则数得兽矣，田猎之获常过人矣。非独猎也，百事也尽然。霸主有不先耕而成霸王者，古今无有。此贤不肖之所以殊也。贤不肖之所欲与人同，尧、桀、幽、厉皆然，所以为之异。故贤主察之，以为不可，弗为；以为可，故为之。为之必由其道，物莫之能害，此功之所以相万也。

【译文】

名声尊贵显赫，不可强求，必须遵循一定的规律。治理事物的关键不在于具体事，而在于人；治理人的关键不在于官吏，而在于君主；

治理国君的关键不在于国君，而在于天子；治理天子不在于天子本身，而在于贪欲；控制贪欲的关键不在于贪欲本身，而在于人的天性。人的天性是万物的根本，不可以增长，也不可以缩短，应当根据它本来的样子让它自然发展，这是天地的必然规律。见到鲜红的肉，乌鸦、喜鹊就聚到一起了；狸猫在堂上，所有的老鼠就逃散了；丧服摆出来，百姓就知道要办丧事了；竽、瑟等乐器摆出来，百姓就知道要奏乐了；商汤、周武王修养自己的德行，天下的人就归顺了；夏桀、商纣忽视自己的德行，天下的人就反叛了，这难道用得着提醒吗？君子只需审察自己就行了。

楚国有个会给人看相的，所说的从来没有失误过，在国内很有名。楚庄王召见他并向他请教。他回答说："我不是能给人看相，而是能够观察他的朋友。观察布衣百姓，如果他的朋友都孝顺父母、恭敬兄长、纯朴、谨慎、遵守法令，像这样的人，他家必会一天天富足，他本人必会一天天荣耀，这就是所谓的吉祥人。观察侍奉国君的人，如果他的朋友都真诚守信、有德行、乐于行善，像这样的人，使国君处事一天天有进益，他的官职便会一天天晋升，这就是所说的吉祥之臣。观察国君，如果他朝廷中的臣子大多贤明，左右的人大多忠诚，国君有过失，都互相争着劝谏，像这样的话，国家会一天天越来越安宁，国君会一天天越来越尊显，天下的人会一天天越来越顺服，这就是所说的吉祥的君主。我不是会给人看相，而是能够观察他的朋友。"楚庄王认为他说得好，从此拼命收揽士子，日夜不懈，于是称霸于天下。所以贤君时常接见精通六艺的人，不仅仅是用来装饰门面罢了，而是依靠他们成就大事。事无论大小，本来都是相通的。打猎、跑马、射箭、赛狗，贤者并非不去做，做这些事，心智能够一天天有所收获，但不贤的君主干这些事，心智就一天天迷惑。《志》上说："干骄奢昏惑的勾当，除了灭亡还能指望什么呢？”

齐国有个人喜欢打猎，旷日持久却打不到野兽，回家愧对自己家里人，出外则愧对他的知交和邻里乡亲。他寻思不能获得猎物的原因，就是狗太差劲了。他想得到好狗，但家贫无法实现，于是回去努力耕耘，由于努力耕耘，家中就富裕了；家中富裕了，就有钱买得好狗；有了好狗，就屡次猎得野兽，因而打猎的收获常常超过别人。其实不仅是打猎，做任何事情全都是这样。霸主和帝王不把农耕放在首要地位就成为霸主和帝王的，从古到今还没有过。这是贤明的人和不贤的人不同的原因。贤明的人和不贤明的人的欲望和一般人相同，尧帝、夏桀王、周幽王、周厉王也都是这样，只是他们满足欲望的做法各不相同。所以贤君明察这个道理，认为不可以的就不去做，认为可以的就去做。做事定要遵循一定的规律，这样，万物都不能伤害他们，这是他们的功绩比一般人高出万倍的原因。

有 度

【原文】

贤主有度而听，故不过。有度以听，则不可欺矣，不可惶矣，不可恐矣，不可喜矣。凡人之知，不昏乎其所已知，而昏乎其所未知，则人之易欺矣，可惶矣，可恐矣，可喜矣，知之不审也。

客有问季子曰："奚以知舜之能也？"季子曰："尧固已治天下矣，舜言治天下而合己之符，是以知其能也。""若虽知之，奚道知其不为私？"季子曰："诸能治天下者，固必通乎性命之情。通乎性命之情者，当无私矣。夏不衣裘，非爱裘也，暖有馀也。冬不用箑，非爱箑也，箑有馀也。圣人之不为私也，非爱费也，节乎己也。节己，虽贪污之心犹若止，又况乎圣人？"

许由非强也，有所乎通也。有所通则贪污之利外矣。孔、墨之弟子徒属充满天下，皆以仁义之术教导于天下，然而无所行其术。教者犹不能行，又况乎所教？是何也？仁义之术外也。夫以外胜内，匹夫徒步不能行，又况乎人主？唯通乎性命之情，而仁义之术自行矣。

先王不能尽知，执一而万物治。使人不能执

一者，物感之也。故曰通意之悖，解心之缪，去德之累，通道之塞。贵富显严名利，六者悖意者也。容动色理气意，六者缪心者也。恶欲喜怒哀乐，六者累德者也。智能去就取舍，六者塞道者也。此四六者不荡乎胸中则正。正则静，静则清明，清明则虚，虚则无为而无不为也。

【译文】

贤明的君主依据一定的法度去听取意见，所以不犯错误。依据一定的法度去听取意见，人们就不可能欺骗他，不可能惊恐他，不可能威吓他，不可能讨好他。大凡人的智慧，对自己已知的不致迷惑，但对自己未知的就会迷惑了，这样，人们就容易欺骗他，可以惊恐他，可以威吓他，可以讨好他，这是因为他了解事物不详细的缘故。

有个客人问季子说："尧帝凭什么知道舜帝的能力呢？"季子说："尧帝本来已治理好天下，舜帝谈论治理天下正好合乎他自己的方法，因此他知道舜帝的能力。"客人说："尧帝虽然知道舜帝有能力，但怎么会知道他不谋私利呢？"季子说："那些能够治理天下的人，本就必然精通生命的实质，精通了生命的实质，应当是没有私欲的了。夏天不穿皮衣，并非爱惜皮衣，而是因为够暖和的了；冬天不用扇子，并非爱惜扇子，而是因为够寒冷的了。圣人不谋私利，并非舍不得花费，而是能对自己予以节制。若能节制自己，即使有贪婪之心也会止住，又何况于圣人呢？"

许由并非勉强才拒绝尧帝让予君位的，而是他精通生命的实质。对生命的实质能够精通，就能杜绝污浊贪婪之利了。孔子、墨子的弟子徒属遍布天下，都用仁义的学说去教导天下的人，但是他们的主张无法推行。教导的人对自己的学说尚不能实行，又何况于被教导的人呢？这是什么原因呢？因为仁义的学说只是用以装饰门面的外表。想用装饰门面的外表去战胜内在的生命实质，常人贱民尚且行不通，又何况是国君呢？只有精通了生命的实质，仁义的学说才自然行得通了。

先王不可能知道一切，但他们执守一条根本要道，就使万物都得到治理。使人们不能执守根本要道的原因，就在于内心被外物所动摇。所以说要疏通思想上的悖乱，解除心中的谬误，去掉德行上的累赘，打通道术上的障碍。而尊贵、富有、显达、威严、名声、财利，这六项是扰乱思想的。容貌、举动、五彩、美女、盛气、情意，这六项是扰乱人心的。厌恶、欲望、喜好、愤怒、悲哀、快乐，这六项是拖累德行的。智慧、能力、背离、趋就、择取、舍弃，这六项是堵塞无为之道的。这四个方面的六件事若不在心中动荡，内心就平正了，内心平正了就会安静，安静了就会清澈明亮，清澈明亮了就会虚空，虚空了就达到了无为的境界，从而就无所不能为了。

分　职

【原文】

先王用非其有，如己有之，通乎君道者也。夫君也者，处虚素服而无智，故能使众智也；能反无能，故能使众能也；能执无为，故能使众为也。无智、无能、无为，此君之所执也。人主之惑者则不然，以其智强智，以其能强能，以其为强为，此处人臣之职也。处人臣之职而欲无壅塞，虽舜不能为。

武王之佐五人。武王之于五人者之事无能也，然而世皆曰："取天下者，武王也。"故武王取非其有，如己有之，通乎君道也。通乎君道，则能令智者谋矣，能令勇者怒矣，能令辩者语矣。夫马者，伯乐相之，造父御之，贤主乘之，一日千里，无御相之劳而有其功，则知所乘矣。

今召客者，酒酣歌舞，鼓瑟吹竽，明日不拜乐己者而拜主人，主人使之也。先王之立功名有似于此，使众能与众贤，功名大立于世，不予佐之者，而予其主，其主使之也。譬之若为宫室，必任巧匠，奚故？曰："匠不巧则宫室不善。"夫国，重物也，其不善也，岂特宫室哉？巧匠为宫室，为圆必以规，为方必以矩，为平直必以准绳。功已就，不知规矩绳墨，而赏巧匠。宫室已成，不知巧匠，而皆曰："善。此某君某王之宫室也。"此不可不察也。人主之不通乎主道者则不然，自为之则不能，任贤者则恶之，与不肖者议之，此功名之所以伤，国家之所以危。

枣，棘之有；裘，狐之有也。食棘之枣，衣狐之皮，先王固用非其有，而己有之。汤、武一日而尽有夏、商之民，尽有夏、商之地，尽有夏、商之财，以其民安而天下莫之敢危，以其地封而天下莫敢不说，以其财赏而天下皆竞劝，无费乎郼与岐周，而天下称大仁，称大义，通乎用非其有。

白公胜得荆国，不能以其府库分人。七日，石乞曰："患至矣。不能分人则焚之，毋令人以之害我。"白公又不能。九日，叶公入，乃发太府之货以予众，出高库之兵以赋民，因攻之。十有九日而白公死。国非其有也，而欲有之，可谓至贪矣。不能为人，又不能自为，可谓至愚矣。譬白公之啬，若枭之爱其子也。

卫灵公天寒凿池。宛春谏曰："天寒起役，恐伤民。”公曰：“天寒乎？”宛春曰：“公衣狐裘，坐熊席，陬隅有灶，是以不寒。今民衣弊不补，履决不组。君则不寒矣，民则寒矣。”公曰：“善。”令罢役。左右以谏曰：“君凿池，不知天之寒也，而春也知之，以春之知之也而令罢之，德将归于春也，而怨将归于君。”公曰：“不然。夫春也，鲁国之匹夫也，而我举之，夫民未有见焉。今将令民以此见之。且春也有善，于寡人有也，春之善非寡人之善欤？”灵公之论宛春，可谓知君道矣。

君者固无任，而以职受任。工拙，下也；赏罚，法也；君奚事哉？若是则受赏者无德，而抵诛者无怨矣，人自反而已，此治之至也。

【译文】

先王所使用的并不是自己所有的，但如同自己所有的一样，这是精通为君之道的做法。做国君的，保持虚静无为，执守质朴，不用智慧，因此能使众人发挥才智；有才能却回复到无能的境界，因此能使众人施展才能；能够坚持无为的原则，因此能使众人有所作为。无智、无能、无为，这是国君所应守持的。那些糊涂的国君则不是这样，凭着自己的智慧强行卖弄聪明才智，凭着自己的能力强行逞能，凭着自己的作为强行去干，这是让自己居于臣子的职位。君主居于臣子的职位却想不闭塞，即便是舜帝也不能做到。

武王的辅臣有五个。武王对于这五个人所做的事都不会，然而世人都说：“取得天下的是武王。”所以武王取得的并不是自己所有的，但是如同自己所有的一样，这就是由于他精通为君之道。精通为君之道,就能使有智慧的人出谋划策,能使有勇力的人奋勇震怒,能使善辩的人施展口才。马,由伯乐鉴别它,由造父驾驭它,而贤明的君主乘坐它,一日能行千里,他没有鉴别和驾驭马的辛劳,却有一日千里的功效,这就是懂得驾乘之术了。

如果有个请客的人,酒饮得很尽兴,还有人为他唱歌跳舞弹瑟吹竽,第二天客人并不拜谢为自己作乐的人,却拜谢主人,这因为是主人指使他们做的。先王建立功名,与此有些相似,他任用众多的能人和贤者,在世上建立了巍巍功名,功名并不给予辅佐国君的人,而给予国君,这是因为是国君使用了他们。这好比修造宫室,一定要任用能工巧匠,是什么原因呢?回答是:“工匠的技艺不精巧,房子就修不好。”国家,是非常重要,它若治理不好,其后果岂可与修造宫室相比么?能工巧匠修造宫室,做圆的东西一定用圆规,做方的东西一定用矩尺,做平直的东西一定用准绳。宫室已建成功,人们并不知道圆规、矩尺和绳墨,却奖赏能工巧匠。宫室已经建成,人们不知道修造宫室的巧匠,却都说:“真好。这是某某国君某某帝王的宫室。”对这个道理不可不明察。那些不通达为君之道的人则不是这样,自己做不来,任用贤者却厌恶他们,又与不肖者议论他们,这是功名受损伤,国家处于危亡的原因。

枣子,为枣树所有;裘皮,为狐狸所有。吃枣树上的枣子,穿狐皮衣,先王本来就使用并非为自己所有的东西,但如同自己所有的一样。商汤王、周武王在一天之内就完全拥有了夏朝、商朝的百姓;完全拥有了夏朝、商朝的土地;完全拥有了夏朝、商朝的财货;他们利用这些安定百姓,而天下无人敢危害他们;将这些土地分封下去,而天下无人不高兴;将这些财货赏赐给别人,却使天下的人竞相进取;他们没有耗费郼或岐周的人力物力,但天下都称赞他们大仁大义,这就因为精通了使用不为自己所有的事物之理。

白公胜篡夺了楚国，他不能将楚国府库里的资财分给人民。过了七天，他的家臣石乞说："灾祸临头了。既然不能把资财分给人民，就应该把它烧掉，不要让别人利用它来危害我们。"白公又不能按石乞说的做。到第九天，楚国贵族叶公子高打进来，就将国库的资财发给众人，将武库里的兵器拿出来给予百姓，以此进攻白公。到第十九天白公就死了。国家并不是白公所有的，而他却想占有它，可说是最贪婪了；不能分利于人，又不能自己利用，可说是最愚蠢了。像白公这样吝啬，有如枭鸟疼爱它的幼子一样，幼子长大后反会把母亲吃掉。

卫灵公在天冷时下令挖池子，大夫宛春劝谏说："天冷时动用劳役，恐怕会伤害百姓。"灵公说："天冷吗？"宛春说："您穿着狐皮衣，坐着熊皮席，屋角里还烧着炉灶，因此不觉得冷。如今百姓衣服烂了无法缝补，鞋子破了无法编织。您不冷，但百姓可冷哩。"灵公说："好。"便命令取消劳役。左右的人劝谏说："您下令挖池子，不知道天冷，但宛春却知道。由于宛春知道冷天挖池子会伤害百姓，您才下令取消劳役，人们会把恩德都归于宛春，而把怨恨都归于国君。"灵公说："不对。宛春不过是鲁国的一个普通人，但我重用了他，百姓并不了解他的贤德，如今将使百姓从这件事了解他。况且宛春有善心，而我也有善心，宛春的善心不就是我的善心吗？"灵公这样评论宛春，可说是懂得为君之道了。

国君本来就不用做具体的事，而是依照职分把任务授予办具体事的人。做得好做不好，责任在于臣下，根据情况进行赏罚，依法行事，那国君还用得着做什么呢？如果这样，受到奖赏的人就不用感恩戴德，而抵罪被惩罚的人也不会怨恨，人们都反躬自省而已，这是最好的治理。

士容

【原文】

士不偏不党。柔而坚，虚而实。其状朗然不儇，若失其一。傲小物而志属于大，似无勇而未可恐狼，执固横敢而不可辱害，临患涉难而处义不越，南面称寡而不以侈大。今日君民而欲服海外，节物甚高而细利弗赖，耳目遗俗而可与定世，富贵弗就而贫贱弗朅。德行尊理而羞用巧卫，宽裕不訾而中心甚厉，难动以物而必不妄折。此国士之容也。

齐有善相狗者，其邻假以买取鼠之狗，期年乃得之，曰："是良狗也。"其邻畜之数年，而不取鼠，以告相者。相者曰："此良狗也。其志在獐麋豕鹿，不在鼠。欲其取鼠也则桎之。"其邻桎其后足，狗乃取鼠。夫骥骜之气，鸿鹄之志，有谕乎人心者，诚也。人亦然。诚有之则神应乎人矣，言岂足以谕之哉？此谓不言之言也。

客有见田骈者，被服中法，进退中度，趋翔闲雅，辞令逊敏。田骈听之毕而辞之。客出，田骈送之以目。弟子谓田骈曰："客，士欤？"田骈曰："殆乎非士也。今者客所弇敛，士所术施也；士所弇敛，客所术施也。客殆乎非士也。”故火烛一隅，则室偏无光；骨节早成，空窍哭历，身心不长；众无谋方，乞谨视见，多故不良；志必不公，不能立功；好得恶予，国虽大不为王；祸灾日至，国将灭亡。故君子之容，纯乎其若钟山之玉，桔乎其若陵上之木。淳淳乎慎谨畏化，而不肯自足；干干乎取舍不悦，而心甚素朴。

唐尚敌年为史，其故人谓唐尚愿之，以谓唐尚。唐尚曰：“吾非不得为史也，羞而不为也。”其故人不信也。及魏围邯郸，唐尚说惠王而解之围，以与伯阳，其故人乃信其羞为史也。居有间，其故人为其兄请。唐尚曰：“卫君死，吾将汝兄以代之。”其故人反兴再拜而信之。夫可信而不信，不可信而信，此愚者之患也。知人情，不能自遗，以此为君，虽有天下何益？故败莫大于愚，愚之患，必在自用，自用则戆陋之人从而贺之。有国若此，不若无有。古之与贤，从此生矣。非恶其子孙也，非徼而矜其名也，反其实也。

【译文】

士子不偏私不阿附，柔顺而又坚强，虚无而又实在。他们的态度明朗而不乖巧，仿佛忘记了自身。他们傲视小事而把志向集中在大事上，看起来好像没有勇气，但实际上不可恐吓；他们执意坚定，勇敢无畏而不可侮辱伤害，面对祸患、涉身危难却坚持正义而不逾越，当了国君称孤道寡时却不骄奢自大，一旦当了人君就想使四海之外都来归服;他们节制物欲很严而不赢取小利,见闻脱俗而能与之安定天下;他们不趋附富贵也不疏远贫贱,德行修行、遵循义理而耻于取巧诈伪,豪放不羁而内心境界高远，难为物质利益所打动而又绝不为名利所屈服。这些是国中杰出士子所持的态度。

齐国有个善于鉴定狗的人,他的邻居托他购买抓老鼠的狗,花了整整一年才买到,说:“这是好狗。”他的邻居养了几年,但狗不抓老鼠,邻居将这情况告诉鉴定狗的人。鉴定狗的人说:“这是好狗呀。它的志向在于捕捉獐、麋、猪、鹿,不在于抓老鼠。想要它抓老鼠,就把它的脚捆上吧。”他的邻居捆上了狗的后腿,狗就抓老鼠了。骥骜的气质,鸿鹄的志向,有启迪人心之处,那就是真诚。人也是这样,有了真诚,精神就能感应别人,言语难道足以表明人的志向吗?这叫做无声的言语。

有个客人去见田骈,他穿戴合乎礼法,进退符合节度,举止娴雅,言辞谦逊敏锐。田骈听他说完就打发他走了。客人出去时,田骈只是用目光送送他。田骈的弟子对田骈说:“客人是士子吗?”田骈说:“恐怕不是士子吧,刚才客人所收敛的,正是士子所放纵的;而士子所收敛的,正是客人所放纵的。客人恐怕不是个士子吧。”所以用灯火只照一个屋角,半个屋子就没有光亮;骨节过早地发育成熟,骨中的孔穴就很稀疏,这种人的身材必不高大;人们不谋求言行方正,而乞求于外观上的谨小慎微,这种人大多不是善良之辈;其心志一定不正直,是不能建功立业的;只喜好索取不愿意施予,国家即使再大也不能成就王业;灾祸将会一天天逼近,国家将会灭亡。所以君子的风度,纯洁得像钟山的玉石一样,正直得像山上的树木一样。敦厚谨慎,防微杜渐,而不许自满;自强不息,取舍慎重,而思想非常朴素。

唐尚的年资到了适合做史官的时候,他的老朋友认为他希望做史官，就去对唐尚说。唐尚说：“我不是不能当史官，而是羞于去做。”他的老朋友不相信。等到魏国围攻邯郸的时候，唐尚劝说魏惠王，解了邯郸之围，赵王便把伯阳这地方赏给了他，他的老朋友这才相信他羞于去当史官的缘故。过了不久，这位老朋友为自己的哥哥请求弄个职位。唐尚说：“等卫国的国君死了以后，我将让你哥哥去代替他。”那位朋友转身站起来，一再拜谢，并相信唐尚的许诺。值得相信的却不相信，不值得相信的却相信，这是愚蠢人的通病。懂得人之常情，却不能用来自我分析，以这样的人做国君，即使拥有天下又有什么益处呢？所以没有什么比愚蠢更坏事的了。愚蠢的毛病恰恰在于自以为是，如果自以为是，那么愚昧浅陋的人也会跟着向他喝彩。如此拥有国家，还不如没有。古人把天下传给贤人，就是从这个观点出发的。他们并不是厌恶自己的子孙，也不是为了得到夸耀让贤的名声，而是为了使天下都回到去欲安生的实质上来。

上　农

【原文】

古先圣王之所以导其民者,先务于农。民农非徒为地利也,贵其志也。民农则朴,朴则易用,易用则边境安,主位尊。民农则重,重则少私义,少私义则公法立,力专一。民农则其产复,其产复则重徙,重徙则死处而无二虑。舍本而事末则不令,不令则不可以守,不可以战。民舍本而事末则其产约,其产约则轻迁徙,轻迁徙,则国家有患,皆有远志,无有居心。民舍本而事末则好智,好智则多诈,多诈则巧法令,以是为非,以非为是。

后稷曰:“所以务耕织者,以为本教也。”是故天子亲率诸侯耕帝籍田,大夫士皆有功业。是故当时之务,农不见于国,以教民尊地产也。后妃率九嫔蚕于郊,桑于公田。是以春秋冬夏皆有麻枲丝茧之功,以力妇教也。是故丈夫不织而衣,妇人不耕而食,男女贸功,以长以生,此圣人之制也。故敬时爱日,非老不休,非疾不息,非死不舍。

上田,夫食九人。下田,夫食五人。可以益,不可以损。一人治之,十人食之,六畜皆在其中矣。此大任地之道也。

故当时之务，不兴土功，不作师徒，庶人不冠弁、娶妻、嫁女、享祀，不酒醴聚众，农不上闻，不敢私籍于庸，为害于时也。苟非同姓，农不出御，女不外嫁，以安农也。

然后制野禁。野禁有五：地未辟易，不操麻，不出粪。齿年未长，不敢为园囿。量力不足，不敢渠地而耕。农不敢行贾，不敢为异事：为害于时也。

然后制四时之禁：山不敢伐材下木。泽人不敢灰僇，缳网罝罦不敢出于门，罛罟不敢入于渊，泽非舟虞不敢缘名：为害其时也。

若民不力田，墨乃家畜，国家难治，三疑乃极，是谓背本反则，失毁其国。凡民自七尺以上，属诸三官。农攻粟，工攻器，贾攻货。时事不共，是谓大凶。夺之以土功，是谓稽，不绝忧唯，必丧其秕。夺之以水事，是谓籥，丧以继乐，四邻来虐。夺之以兵事，是谓厉，祸因胥岁，不举铚艾。数夺民时，大饥乃来，野有寝耒，或谈或歌，旦则有昏，丧粟甚多。皆知其末，莫知其本，真……

【译文】

上古圣王之所以能够教导百姓，因为他们首先致力于农业。使百姓从事农业，不仅仅是为了开发土地资源，而是为了重视他们的思想修养。百姓务农就会质朴，质朴就容易任使；容易任使则边境安宁，君主的地位也就尊贵。百姓务农行为就稳重，行为稳重就少徇私谊；少徇私谊,公法就确立了,精力也就专注在农事上了。百姓务农,他们的财产就会丰厚;财产丰厚了,就不轻易迁徙;不轻易迁徙,就会一辈子死守着居处,而不会有二心。舍弃农业这个根本而致力于工商等末业,就会不听从号令,不听从号令就不能守卫国土,不能与敌作战。百姓舍弃农业这个根本而致力于工商等末业,他们的财产就少,百姓的财产少,就会轻易迁徙,轻易迁徙,那么国家有了灾难,他们都会存心避而远之,没有安居乐业之心。百姓舍弃农业这个根本而致力于工商等末业,就喜爱耍小聪明,爱耍小聪明,就多行奸诈,多行奸诈就会钻法令的空子,把是当作非,把非当作是。

后稷说:"其所以致力于耕织,就是要以此作为根本的教化。"所以天子亲自率领诸侯耕种帝王的祭祀用田,大夫和士子都有各自的任务和职责。所以当农忙之时,农民都从事耕作,在都城见不到农民,这用以教导百姓重视田地的生产。后妃率领后宫九嫔在郊外养蚕,在公田里采桑。所以春夏秋冬都有绩麻纺丝之事,以致力于对妇女的教化。所以男子不从事纺织却有衣穿,女子不从事耕作却有饭吃,男女交换劳动成果,以繁衍生息,这是圣人定的制度。因此人们重视时令、珍惜光阴,不到年老不肯停止,不遇疾病不肯休息,不到死不肯放弃农事。

上等田,一人耕作能养活九人。下等田,一人耕作可养活五人。供养的人数可以增加,不可减少。一人经营,十人靠它养活,六畜的饲养都包括在其中了。这是充分利用地力的原则。

所以正当农忙之时,不得兴土木,不得动员征兵,平民不得举行加冠礼及娶妻、嫁女、祭祀,不得聚众宴饮,农民不向上请示,不得私自雇工替自己耕作,因为这样会妨害农时。如果不是因为避免同姓婚嫁,男子不得外出入赘,女子不得远嫁外乡,以此稳定务农的人。

然后制定田野的禁令,田野的禁令有五条:土地未经解冻开垦,不

得操持秸秆，不得出粪下田。未达到成年的，不得管理园圃；劳力不够的，不得开沟拓地而耕；农夫不得经商，不得干其他的事。因为这些会妨害农时。

然后制定四季的禁令：山林中不得随时砍伐木材，湖泽地带不得随时火耕水耨，不得随时将罗网等猎具带出城门打猎，不得随时将罟网放入水渊捕鱼，在湖泽中若不是管理舟船的官员，不得任意绕泽横渡，因为这些都会妨害农时。

如果百姓不致力于农作，家畜就会减灭，国家就难以治理，农、工、商三业相互跨行混乱之极，这就叫做背弃了根本，违反了法则，就会使国家招致损失和破坏。凡是百姓身高七尺以上的，都分属于农、工、商三个部门。农民种植庄稼，工匠制作器具，商人经营货物。若农时与农事不能统一，这就叫做“大凶”。因为土木工程而占用农时，就叫做延误农时，给百姓带来无穷的忧虑，必致米谷歉收。因为水利而占用农时，这叫做冒进，没有收成还要继续作乐，四邻敌国就会来肆虐。因为战事而占用农时，这叫做凶厉。灾祸的形成是由于全年没有收成，不从事农业生产所致。屡屡侵占农时，严重的饥荒就要到来。田野上遗弃着闲置的农具，做国君的却谈笑歌舞，夜以继日，势必丧失大量的粮食。他们都只知道追求末事，而不知道重农之本，真是……

审 时

【原文】

凡农之道，厚时为宝：斩禾不时，必折穗；稼就而不获，必遇天菑。夫稼，为之者人也，生之者地也，养之者天也。是以人稼之容足，耨之容耨，据之容手，此之谓耕道。

是以得时之禾，长稠长穗，大本而茎杀，疏穖而穗大；其粟圆而薄糠；其米多沃而食之强；如此者不风。先时者，茎叶带芒以短衡，穗巨而芳夺，秮米而不香。后时者，茎叶带芒而末衡，穗阅而青零，多秕而不满。

得时之黍，芒茎而徼下，穗芒以长，抟米而薄糠，舂之易，而食之不噮而香；如此者不饴。先时者，大本而华，茎杀而不遂，叶膏短穗。后时者，小茎而麻长，短穗而厚糠，小米鉗而不香。

得时之稻，大本而茎葆，长稠疏秮，穗如马尾，大粒无芒，抟米而薄糠，舂之易而食之香，如此者不噮。先时者，本大而茎叶格对，短稠短穗，多秕厚糠，薄米多芒。后时者，纤茎而不滋，厚糠多秕，庳辟米，不待定熟，卬天而死。

得时之麻，必芒以长，疏节而色阳，小本而茎坚，厚枲以均，后熟多荣，日夜分复生，如此者不蝗。

得时之菽，长茎而短足，其荚二七以为族，多枝数节，竞叶蕃实，大菽则圆，小菽则抟以芳，称之重，食之息以香；如此者不虫。先时者，必长以蔓，浮叶疏节，小荚不实。后时者，短茎疏节，本虚不实。

得时之麦，稠长而颈黑，二七以为行，而服薄糕而赤色，称之重，食之致香以息，使人肌泽且有力；如此者不蚼蛆。先时者，暑雨未至，胕动蚼蛆而多疾，其次羊以节。后时者，弱苗而穗苍狼，薄色而美芒。

是故得时之稼兴，失时之稼约。茎相若而称之，得时者重，粟亦多。量粟相若而舂之，得时者多米。量米相若而食之，得时者忍饥。是故得时之稼，其臭香，其味甘，其气章，百日食之，耳目聪明，心意睿智，四卫变强，殉气不入，身无苛殃。黄帝曰："四时之不正也，正五谷而已矣。"

【译文】

大凡农业生产的原则，重视时令是最宝贵的：割禾不当时令，一定会前功尽弃而禾无穗实；庄稼熟了却不收获，必然遭遇天灾。种植庄稼的是人，生长庄稼的是地，养育它的是天。所以人们种庄稼，行距之间要容得下脚，除草时应容得下耨，按苗覆土时应容得下手，这就是耕种的原则。

所以顺应时令长出的粟，有长长的总花梗，长长的穗子，根部发达，茎向四周散开，粟粒稀疏，粟穗硕大，粟粒饱满而粟壳薄，米多油性吃起来味道足，像这种粟不易被吹落。早于时令种出的粟，茎叶都带芒刺而叶柄短，穗子刚直上指但子房容易脱落，米硬，舂不散而且不香。晚于时令种出的粟，茎叶带芒刺而叶柄下垂，穗子聚束，青而不黄，多是秕壳而籽粒不饱满。

适合时令种出的黍，茎上有芒刺，茎的下部无侧叶，穗上有芒刺，穗子又长，颗粒圆实，糠壳薄，舂起来容易，吃起来不腻人而又很香，像这种黍是历久不变味的。早于时令种出的黍，根部发达枝叶茂盛，茎四散而不高扬，叶子肥实而穗子短。晚于时令种出的黍，茎细而刺长，穗子短，糠皮厚，颗粒小而黑黄，吃起来不香。

适合时令种出的稻子，根部发达而分枝叶多，总花梗长而籽粒排列稀疏，穗子如同马尾，颗粒硕大，没有芒刺，米粒圆实，糠皮薄，舂起来容易而吃起来很香，像这种稻子吃起来不会哽咽。早于时令种的稻子，根部发达而茎长叶扬，总花梗短，穗子短，秕谷多，糠皮厚，米粒小，芒刺多。晚于时令种出的稻子，茎纤细而不滋长，糠皮厚，秕谷多，仅有一些小粒的米，不到稻子熟透时，稻穗就仰天而死了。

适合时令种出的麻，必然生芒刺而植株又长，节稀而颜色鲜明，根部较小而茎坚强，枲较厚而又均匀，成熟较晚的多生长茂盛，到秋分时又在滋长，像这样的麇不生蝗虫。

适合时令种出的豆子，茎长而总干短，豆荚十四个为一簇，枝多，节密，叶子竞相生长结出的籽粒多，大豆的籽粒是圆的，小豆的子房呈圆形，豆子称起来较重，吃了后气味是香的，像这样的豆子不生虫。早于时令种出的豆子，枝叶一定长得长而蔓延开来，叶子轻薄而节也稀，豆荚小，籽粒不饱满。晚于时令种出的豆子，茎短，节稀，根部虚空，籽粒不饱满。

适合时令种出的麦子，总花梗长，麦穗呈黑色，麦粒七个七个相对成行，麦皮薄而呈红色，称起来较重，吃起来气味很香，能使人肌肤润泽而且有力，像这种麦子不生蚼蛆。早于时令种出的麦子，夏天雨季还未到来，就有霉烂的现象，易生蚼蛆且多病害，麦粒瘦小而不饱满。晚于时令种出的麦子，苗弱而麦穗泛青，暗淡无光，只不过麦芒长得漂亮。

所以适合时令种出的庄稼就增产，违背时令种出的庄稼就减产。拿差不多大的茎去称，适合时令的要重些，粟粒要多些。量出相同体积的粟去舂，适合时令的粟米要多些。量出同样多的米去食用，适合时令的粟米更耐饿一些。所以适合时令种出的粮食，气味芳香，味道甘美，吃了使人精力旺盛，这种粮食吃一百天，令人耳聪目明，心意睿智，四肢变得强健，邪气不能侵入体内，一身没有大病。黄帝说："四时之气不正时，容易生病，但只要所吃的五谷纯正就行了。"